LA COLLECTION TRAITEMENT NATUREL

Un nombre croissant de personnes à travers le monde sont victimes de maladies que la médecine moderne, malgré tous ses progrès sur le plan technique, semble souvent incapable de prévenir, et qui parfois même peut en être la cause directe. Pour vaincre ces « maux de la civilisation », de plus en plus de gens se tournent vers les médecines naturelles. La collection « Traitement naturel » offre des guides clairs, pratiques et fiables pour les traitements les plus sûrs, les plus efficaces et les plus doux qui soient. Elle fournit aux personnes souffrantes et à leurs familles les renseignements qui leur permettent de faire leurs propres choix quant aux traitements les plus aptes à améliorer leur condition.

Mot de l'éditeur

Les livres de cette collection sont publiés à titre informatif et ne se veulent aucunement des substituts aux conseils des professionnels de la médecine. Nous recommandons aux lecteurs de consulter un praticien chevronné en vue d'établir un diagnostic avant de suivre l'un ou l'autre des traitements proposés dans cet ouvrage.

SYNDROME DE L'INTESTIN IRRITABLE

Publié initialement en anglais par Element Books Limited,
sous le titre *The Natural Way: Irritable Bowel Syndrome*

Version française publiée chez :
Les Publications Modus Vivendi inc.
3859, autoroute des Laurentides
Laval (Québec) Canada
H7L 3H7

Traduit de l'anglais par : Laurette Therrien
Design et illustration de la couverture: Marc Alain
Infographie: Modus Vivendi

Dépôt légal, 1er trimestre 2002
Bibliothèque nationale du Québec
Bibliothèque nationale du Canada
Bibliothèque nationale de France

ISBN : 2-89523-041-2

Canadä Nous reconnaissons l'aide financière du gouvernement du Canada par l'entremise du Programme d'Aide au Développement de l'Industrie de l'Édition (PADIÉ) pour nos activités d'édition.

Gouvernement du Québec — Programme de crédit d'impôt pour l'édition de livres — Gestion SODEC

COLLECTION TRAITEMENT NATUREL

SYNDROME DE L'INTESTIN IRRITABLE

Nigel Howard

Consultants médicaux de la collection
Dr Peter Albright, m.d. et Dr David Peters, m.d.

Approuvé par
l'AMERICAN HOLISTIC MEDICAL ASSOCIATION
et la BRITISH HOLISTIC MEDICAL ASSOCIATION

MODUS VIVENDI

Remerciements

Mes plus sincères remerciements aux personnes suivantes, pour leur aide : Dr Peter Whorwell de l'hôpital universitaire de Manschester sud ; Andrew Vickers du centre de recherche en médecine parallèle ; Roger Dyson, homéopathe et herboriste de Sydenham, Londres Sud ; Stephen Church, phytothérapeute de Coulsdon, Surrey ; Simon Horner du Collège britanique de naturopathie et d'ostéopathie et John Parkinson, acuponcteur de Putney, Londres.

À mes parents

Illustrations

Figure 1	L'intestin « irritable »	15
Figure 2	Le système digestif	23
Figure 3	Une colonoscopie	28
Figure 4	Un intestin normal et un intestin constipé	50
Figure 5	Exercices de yoga utiles pour le SII	66
Figure 6	L'hydraste du Canada, un anti-spasmodique	111
Figure 7	Les méridiens en acupuncture	115
Figure 8	Les zones-réflexes du pied	119

Table des matières

Introduction 11

Chapitre 1 Qu'est-ce que le syndrome de l'intestin irritable ? 13

Chapitre 2 Tout sur l'intestin et le système digestif 21

Chapitre 3 Causes et facteurs de risque 31

Chapitre 4 Comment vous aider vous-même 47

Chapitre 5 Traitements médicaux traditionnels 69

Chapitre 6 Problèmes alimentaires et diètes spéciales 77

Chapitre 7 Les traitements naturels et le SII 81

Chapitre 8 Soigner votre tête et vos émotions 91

Chapitre 9 Soigner votre corps 103

Chapitre 10 Comment trouver un thérapeute naturiste 127

Index 141

Introduction

Le syndrome de l'intestin irritable, ou SII, affecte des millions de personnes à travers le monde. Certaines ressentent de légers symptômes de temps à autre, souvent pendant une période de grand stress, alors que d'autres éprouvent douleurs, souffrance et embarras social des années durant. Dans les cas les plus graves, le SII peut miner non seulement la santé, mais vous faire perdre votre emploi, de même que toute vie sociale.

Cependant, malgré le lot de souffrances qu'il entraîne, le SII n'est pas une maladie dont on parle beaucoup. Même les personnes qui en souffrent sont peu enclines à en parler. L'expulsion des selles est une fonction essentielle du corps, au même titre que manger ou respirer, mais les intestins ne sont pas pour autant un sujet de discussion très apprécié, même en ce début de XXIe siècle.

Cette image du syndrome de l'intestin irritable a en grande partie été véhiculée par le corps médical lui-même. Pour lui, le SII appartient à un grand groupe de malaises déroutants et qui exigent beaucoup de temps, connus sous le terme « troubles fonctionnels ». Cela veut simplement dire que quelque chose, dans ce cas l'intestin, ne fonctionne pas correctement sans raison apparente. Comme il ne semble pas y avoir de raison mécanique, ce doit être « tout dans la tête ».

Cette phrase a probablement causé aux gens qui en souffrent autant d'angoisse que le syndrome lui-même. Et le plus triste, c'est que votre état est réel. Si vous souffrez du SII, vous avez un problème médical bien réel, dont on commence à peine à comprendre les causes aujourd'hui.

Les progrès dans la compréhension scientifique du SII sont l'œuvre d'un petit groupe de docteurs dévoués, à qui il a fallu des décennies de travail et qui ont accepté d'ajouter des heures de recherche à une pratique déjà fort exigeante. Mais les progrès sont là, et on a déjà identifié toute une variété de causes possibles, dont bien peu sont « dans la tête ». Il devient clair que dans le SII, comme dans tout ce qui touche la santé, les effets de l'esprit sur le corps et du corps sur l'esprit sont reliés, et c'est à nos risques et périls que nous ignorons cette relation.

Les recherches indiquent que pour soigner des maladies comme le syndrome de l'intestin irritable ou même les comprendre, la médecine traditionnelle doit se tourner vers une approche plus « holistique » et soigner le corps entier pour traiter les parties, plutôt que de traiter les parties pour soigner le corps entier. Nous avons fait la preuve que l'approche plus douce des thérapies naturelles est plus efficace pour le SII que tout ce que la médecine traditionnelle peut offrir.

Ce livre se propose de vous présenter ces traitements naturels et de vous montrer comment vous pouvez commencer à vous aider vous-même pour vous sentir mieux.

Nigel Howard

CHAPITRE 1

Qu'est-ce que le syndrome de l'intestin irritable ?

Comment et pourquoi il apparaît et qui en souffre

Le syndrome de l'intestin irritable, ou SII, est une maladie du système digestif qui affecte des millions de personnes à travers le monde. Près de la moitié de tous ceux qui sont adressés par leur médecin à une clinique spécialisée souffrent du SII et des études menées dans des pays comme la Grande-Bretagne, les États-Unis, la France, la Nouvelle-Zélande et la Chine montrent que jusqu'à un adulte sur cinq souffre de cette maladie.

La gravité du SII est tout aussi étendue. Au mieux, il peut signifier une course aux toilettes le matin au réveil, avec constipation et maux de ventre occasionnels. Au pire, la douleur et le malaise dus au SII peuvent ruiner des vies, laissant les personnes incapables de travailler et forcées de rester chez elles.

Le SII n'est pas une maladie dans le sens strict du terme. C'est un état. *Syndrome* est le terme médical qui désigne « une série de symptômes qui ont tendance à apparaître en même temps ». Dans le

SII, des symptômes tels les douleurs d'estomac, la constipation, la diarrhée et les ballonnements résultent tous du fait que l'intestin — le long tube musculaire qui relie la bouche à l'anus — ne fonctionne pas correctement.

Normalement, l'estomac digère doucement les aliments que nous mangeons, les transformant graduellement en nutriments vitaux dont nous avons besoin, pour finir par passer les déchets sous forme de fèces, connues sous le nom médical de *selles*.

Mais à cause du SII, quelque chose ne va pas dans ce système complexe et normalement bien ordonné. Comme son nom l'indique, l'intestin devient irrité. Comme toujours dans la vie, l'irritation, si on ne la soulage pas, mène à la colère. Dans l'intestin, cela se manifeste par des tensions, qui se traduisent par des coliques semblables à des crampes chez les personnes qui en souffrent. Ces spasmes douloureux ont donné naissance à un autre nom pour le SII, soit *côlon spasmodique*. Le mot spasmodique est un dérivé de spasme. Vous pourriez encore entendre ce nom, quoique sa popularité est à la baisse.

La colère, comme tout le monde le sait, est déroutante. Dans le cas de l'intestin irritable et coléreux, le système digestif naturel complexe et fragile se dégrade, causant la constipation, la diarrhée et d'autres symptômes bien connus de ceux qui en souffrent (voir figure 1).

Les symptômes du SII

Toutes les personnes atteintes présentent certains de ces symptômes :

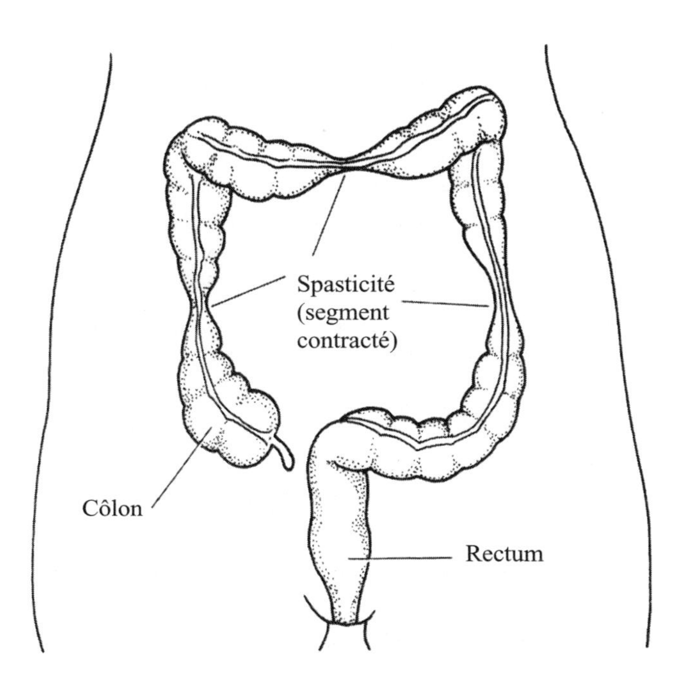

Figure 1 L'intestin « irritable »

Principaux symptômes

- Douleur stomacale provoquée par des coliques, souvent en bas à gauche, souvent soulagée en laissant passer des gaz ou des selles.
- Une sensation de ballonnement et de gaz, parfois accompagnée de gargouillements bruyants.
- Diarrhée le matin, surtout au lever.
- Constipation.
- Séquences de diarrhée et de constipation en alternance.

- Selles petites et dures en forme de boulettes pouvant être couvertes de mucus (et il arrive souvent que l'on expulse seulement du mucus).

Autres symptômes (secondaires)

- Sensation d'évacuation incomplète après être allé à la selle.
- Incontinence.
- Nausée, rots et, à l'occasion, vomissements.
- Douleur dorsale.
- Léthargie.

Bien sûr, de nombreux individus ressentent seulement un ou deux des symptômes du SII, alors que quelques malchanceux doivent endurer la plupart, voire tous les symptômes. Il est intéressant de noter que plusieurs personnes souffrant du SII disent que ces symptômes, appelés secondaires, peuvent s'avérer les plus désagréables et les plus perturbateurs, surtout la léthargie et la nausée.

Ces symptômes secondaires peuvent aussi compliquer le SII dans l'esprit des docteurs qui, dans leur profession, ont traditionnellement été formés à faire la distinction entre ce que nous ressentons et ce qui nous fait nous sentir ainsi. Pour les personnes qui souffrent, les conséquences de cette attitude peuvent être insoupçonnées et profondément perburbatrices.

Supposons, par exemple, que vous souffrez du SII avec de graves maux de dos. Ce sont ces douleurs dorsales, et non celles provoquées par vos habitudes de défécation (irrégulières depuis des années), qui vous amènent à consulter votre médecin de famille. Celui-ci pourrait adresser un patient dont le principal symptôme est un mal de dos à un chirurgien en orthopédie.

Il en va de même pour la gynécologie — la branche de la médecine qui se spécialise dans les problèmes féminins. Les problèmes gynécologiques étant relativement courants chez les malades du SII, les femmes qui en sont affectées voient leur médecin pour des douleurs d'estomac et des règles anormales, qui les envoie chez le gynécologue.

Si la femme a plus de 40 ans, il y a de bonnes chances que l'on songe à lui faire une hystérectomie, l'ablation chirurgicale de l'utérus. On estime que de nombreuses femmes qui se retrouvent dans une clinique gynécologique pour une douleur pelvienne souffrent du SII, et un pourcentage de celles-ci finiront probablement, après de multiples tests, par subir une hystérectomie. Dans la plupart des cas, cela ne règle pas le problème et les physiciens qui traitent le SII ont plusieurs patientes qui ont été « dépossédées » de leur utérus.

En aucun cas peut-on parler de faute professionnelle médicale ; chacun fait son travail consciencieusement en obéissant à la devise consacrée par l'usage : « Mieux vaut prévenir que guérir. » Malheureusement, dans ce cas la prévention ne règle pas le problème, et c'est souvent la femme souffrant du syndrome de l'intestin irritable qui en fait les frais !

Beaucoup de spécialistes croient que la solution serait de mieux informer les médecins de famille, pour qu'ils connaissent mieux les répercussions possibles du SII ; de cette manière, à moins que les symptômes ne laissent présager une maladie mortelle, ils pourraient prendre des mesures très simples avant d'adresser le patient à un spécialiste.

Ce que le SII n'est pas

À ce stade-ci, il est sans doute utile de faire le point sur ce que le syndrome de l'intestin irritable n'est pas.

Bien que dans certains cas il puisse vous empoisonner l'existence, il ne va pas jusqu'à mettre votre vie en danger. Le diagnostic du SII, qui doit être fait par un médecin pour exclure la possibilité d'autres problèmes, signifie qu'il n'y a pas d'autres maladies sous-jacentes, tels un cancer, la maladie de Crohn ou une colite ulcérative.

Le SII n'est pas une infection, bien qu'il puisse être provoqué par un virus ou une bactérie. Ce n'est pas non plus une inflammation intestinale comme la colite ulcérative et la maladie de Crohn. Il n'est pas évolutif. C'est ce que l'on appelle une « maladie chronique à rechutes ». Le syndrome se tient là, en retrait, pour réapparaître occasionnellement et s'apaiser de nouveau, mais en général, il n'aura pas tendance à s'aggraver sans cesse.

Qui souffre du SII ?

La réponse : toutes sortes de gens. Le SII n'a rien à voir avec l'âge, le sexe, la classe sociale, les croyances, la profession ou la nationalité. Cela étant dit, le SII semble souvent se manifester entre 15 et 40 ans. Les statistiques indiquent que plus de femmes que d'hommes souffrent du SII, mais ce détail pourrait fort bien être trompeur, puisque les femmes ont tendance à s'occuper davantage de leur santé, et qu'elles consultent en cas de problème, alors que les hommes endurent leurs maux, et pas toujours en silence !

Le SII est extrêmement courant dans les pays occidentaux développés. Environ le tiers de la population de la Grande-Bretagne présente des symptômes, et environ une personne sur dix a des symptômes assez sérieux pour consulter un médecin et pour devoir s'absenter du travail. Ce qui fait que le SII a été étiqueté comme une de ces « maladie de la civilisation », dont on croit qu'elles sont dues à une trop grande abondance de nourriture, à une consommation d'aliments raffinés et d'aliments vides, au travail sédentaire et au manque d'exercice.

On croit que le SII est moins courant en Afrique, en Asie et ailleurs dans les pays en voie de développement, où on trouve moins d'aliments raffinés — et souvent moins d'aliments tout court — et où la vie est physiquement plus dure. Toutefois, comme la plupart de ceux qui souffrent du SII ne consultent jamais un médecin — et que beaucoup dans ce que nous appelons le tiers monde n'ont pas accès aux services médicaux —, il va sans dire qu'il est difficile d'obtenir des chiffres fiables.

Ce qui est sûr, c'est qu'en Grande-Bretagne et à travers tout l'Occident, les médecins voient chaque année de plus en plus de patients souffrant du SII.

Cependant, les opinions diffèrent quant à savoir si l'incidence de la maladie serait actuellement en progression. Certains experts affirment qu'il y a toujours eu beaucoup de cas de SII, mais que dans le passé, les gens mettaient de côté leurs symptômes, parce qu'ils avaient d'autres préoccupations plus inquiétantes.

Comme le dit un spécialiste de l'estomac et des intestins (connu dans les cercles médicaux comme un gastroentérologue) : « Ces choses sont toujours relatives. Il y a cent ans, quand les maladies infectieuses telles la diphtérie et la tuberculose tuaient des gens autour de vous, vous ne vous inquiétiez pas tellement de votre intestin irritable. Maintenant que ces terribles maladies sont plus ou moins éradiquées, les gens ont le temps de songer à leurs autres problèmes de santé. »

CHAPITRE 2

Tout sur l'intestin et le système digestif

Comment ils fonctionnent et pourquoi ils sont importants

L'intestin est un long tube musculeux qui s'étend de la bouche jusqu'à l'anus. Il est doublé d'une membrane muqueuse visqueuse qui permet à la nourriture de se frayer un chemin en douceur jusqu'en bas et protège les parois intestinales de l'usure et des blessures. De haut en bas, l'intestin comprend l'œsophage (gorge), l'estomac, l'intestin grêle (qui comprend le *duodénum*, le *jéjunum* et l'*iléon*), le gros intestin (qui comprend le *cæcum*, le *côlon* et le *rectum*). Lorsque toutes ces parties fonctionnent correctement ensemble, cela donne lieu à un système très efficace de transformation des aliments et d'évacuation des déchets, connu sous le nom d'appareil digestif (voir figure 2).

Comment fonctionne le système digestif

La première étape de la fonction de nutrition de ce système complexe se met en place presque à notre insu. La pensée, la vue et l'odeur de la nourriture excitent les glandes salivaires dans la bouche, qui produisent la salive lubrifiante, d'où l'expression bien connue « avoir l'eau à la bouche ».

Ainsi, pendant que nous mastiquons les aliments, ceux-ci se mélangent à la salive pour pouvoir ensuite être déglutis dans l'œsophage. Au moment où cela se produit, s'enclenche, au haut de la gorge, un acte réflexe qui ferme une valve appelée *épiglotte*, empêchant la nourriture ou le liquide de passer « par le mauvais trou », c'est-à-dire d'entrer dans les voies respiratoires et de provoquer l'étouffement.

L'œsophage mesure environ 40 cm (15 po) de long. La nourriture est poussée dans l'estomac grâce à une série de fortes contractions des muscles de l'œsophage. Cela permet de manger et de boire même en se tenant sur la tête, s'il vous prenait l'envie de tenter l'expérience !

Dans l'estomac, les sucs gastriques acides altèrent les aliments pour les décomposer en protéines, sucres, amidon et graisses. La bouillie semi-liquide qui en résulte passe ensuite par une valve à sens unique, connue sous le nom de pylore, dans l'intestin grêle, qui mesure entre 6 et 8 m (18 et 24 pi) de long. C'est là, grâce aux sucs alcalins aidés par la bile de la vésicule, les sucs pancréatiques et une colonie de bonnes bactéries qui vivent dans la partie inférieure de l'intestin grêle, que se poursuit le processus de la digestion.

Avant que le petit-déjeuner, le dîner ou n'importe quel repas n'atteigne la fin de l'intestin grêle, il aura été réduit à quelques produits chimiques simples : les protéines ont été transformées en

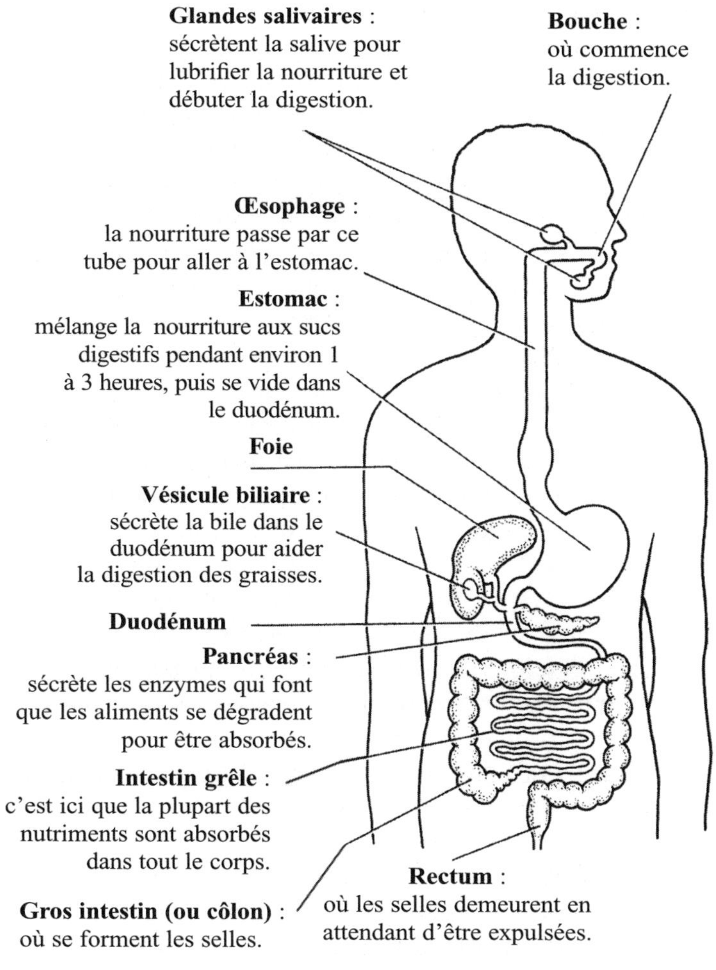

Glandes salivaires :
sécrètent la salive pour
lubrifier la nourriture et
débuter la digestion.

Bouche :
où commence
la digestion.

Œsophage :
la nourriture passe par ce
tube pour aller à l'estomac.

Estomac :
mélange la nourriture aux sucs
digestifs pendant environ 1
à 3 heures, puis se vide dans
le duodénum.

Foie

Vésicule biliaire :
sécrète la bile dans le
duodénum pour aider
la digestion des graisses.

Duodénum

Pancréas :
sécrète les enzymes qui font
que les aliments se dégradent
pour être absorbés.

Intestin grêle :
c'est ici que la plupart des
nutriments sont absorbés
dans tout le corps.

Rectum :
où les selles demeurent en
attendant d'être expulsées.

Gros intestin (ou côlon) :
où se forment les selles.

Figure 2 Le système digestif

acides aminés, les graisses en acides gras et monoglycérides, et les amidons en sucres simples. Ces nutriments sont alors absorbés dans le corps à travers les parois de l'intestin. L'alcool est la seule substance à être absorbée directement de l'estomac.

Les restes liquéfiés des résidus alimentaires dont le corps ne peut pas se servir passent dans le gros intestin ou côlon. Dans ce processus, les parois intestinales absorbent l'eau, et avant que les déchets n'atteignent le rectum, prêts à être expulsés par l'anus, ils ont été transformés en matière solide, mais molle.

La nourriture traverse les diverses sections du système digestif grâce à une série de mouvements musculaires des parois intestinales, qui se contractent et se dilatent en vagues lentes, pour pousser la nourriture, un processus connu sous le nom de *péristaltisme*.

La vitesse à laquelle nous digérons nos aliments varie d'une personne à l'autre, mais en général l'estomac est vide environ deux à trois heures après un repas, et l'intestin grêle après environ quatre heures. Habituellement, les déchets sont dans le rectum, prêts pour l'évacuation, 24 heures après que nous ayons fini de manger.

La digestion des aliments dans l'estomac et l'intestin grêle entraîne aussi la production de gaz ou vents, que les médecins appellent *flatulences*. Nous nous en débarrassons en les expulsant soit par le haut, s'ils viennent de l'estomac — par un rot ou un renvoi — soit par le bas — en « pétant » — s'ils viennent de l'intestin. Il y a des aliments — les fèves en sont un exemple notoire — qui produisent plus de gaz que d'autres durant la digestion, mais le plus étonnant, c'est qu'à peu près toutes les personnes en santé produisent entre 3 et 4 l de gaz quotidiennement.

Que peut-il arriver ?

De toute évidence, le système digestif est complexe et comme dans tous les systèmes complexes, toutes les parties doivent travailler en harmonie pour fonctionner efficacement. Sans parler, pour le moment, des problèmes causés par la maladie, il y a toutes sortes de raisons qui peuvent compromettre cette harmonie. Si, par exemple, les parois intestinales poussent la nourriture trop vite, vous avez la diarrhée ; trop lentement, et c'est la constipation. Si les muscles des parois intestinales se contractent trop ou pas assez, vous souffrez alors de spasmes ou de douleurs.

La différence entre un trouble « fonctionnel » de l'intestin et une maladie « organique » de l'intestin

Le SII est ce que les médecins appellent un trouble « fonctionnel » de l'intestin. C'est-à-dire que l'intestin n'est atteint en aucune façon et qu'il est parfaitement normal, mais que pour une raison ou une autre, il fonctionne mal. Les maladies « organiques » de l'intestin apparaissent lorsque l'intestin est de toute évidence malade ou anormal, par exemple lorsqu'un ulcère s'y développe.

À quels examens médicaux faut-il se soumettre ?

Lorsque vous allez consulter votre médecin pour le SII, il vous demandera probablement de passer des examens permettant d'exclure d'autres maladies pouvant produire des symptômes similaires. Ces examens pourraient inclure :

- un test sanguin pour l'anémie, provoquée par la baisse du nombre de globules rouges qui transportent l'oxygène dans le sang et qui, malgré la croyance populaire, est très rarement causée par une carence en fer ;
- un test sanguin permettant d'exclure la malabsorption, une maladie où l'intestin n'arrive pas à digérer et à absorber le bol alimentaire, causant diarrhée et insuffisance alimentaire ;
- un examen des selles pour vérifier s'il y a saignements internes ;
- une colonoscopie : insertion dans l'anus d'un tube optique fin et flexible pour inspecter l'intestin (figure 3) ;
- une radiographie au baryum. Pour cet examen, le sulfate de baryum est mélangé à l'eau pour obtenir un liquide blanc qui apparaît sur la radiographie, permettant au médecin de localiser toute anomalie physique. Il peut être avalé — c'est une « bouillie au sulfate de baryum » — ou mis dans l'anus — on l'appelle alors « lavement au baryum » — pour aider à l'examen de la partie inférieure de l'intestin, ou côlon. Dans les deux cas, le procédé est désagréable mais sans danger.

Toutefois, plus on en apprend à propos du SII, plus il y a de médecins qui commencent à croire qu'il faut réduire au minimum ce genre d'examens, pour le bien de chacun.

Après tout, de tels tests causent souvent de l'inconfort et sont démoralisants pour les malades atteints du SII, plus intéressés à trouver quel est le problème, plutôt que ce qu'il n'est pas. De plus, ces tests sont longs et très coûteux. Ils sont conçus pour découvrir les anomalies qui causent d'autres maladies intestinales. Mais comme dans le SII, l'intestin semble plutôt normal, le fait d'insérer à plusieurs reprises une sonde télescopique dans l'anus ne peut pas vraiment en révéler la cause.

Le Dr Peter Whorwell, un gastroentérologue anglais de l'hôpital universitaire de Manchester Sud, un leader dans la recherche sur le SII, a questionné un groupe de 20 patients souffrant du SII depuis longtemps et a découvert qu'ensemble, ces personnes avaient consulté environ 500 médecins et subi 128 examens majeurs et 53 interventions chirurgicales, tout cela en vain.

Il fait remarquer que cette ronde sans fin d'interventions est cause de découragement, de colère et pour finir, de désespoir, pour les personnes souffrantes, en plus d'entraîner une dépense d'argent importante. Il estime que chaque personne ayant souffert du SII pendant plus de cinq ans a coûté au service de santé britannique plus de 4000 £ (9060 $ CA) en tests seulement, et c'est sans compter le salaire horaire d'environ 70 £ (160 $ CA) du médecin.

Une situation semblable prévaut dans tous les pays occidentaux. Ajoutez à cela le coût en perte de productivité due à l'absentéisme au travail et le montant des paiements de compensation de bien-être social ; le SII exige de la plupart des pays occidentaux des dépenses exorbitantes.

De nos jours, chez les gens de moins de 40 ans sans antécédents familiaux de cancer ou de maladie intestinale, de nombreux médecins diagnostiquent et traitent le SII sans examen préalable. Les patients plus âgés, toutefois, pourraient avoir besoin de passer quelques tests permettant d'exclure d'autres maladies.

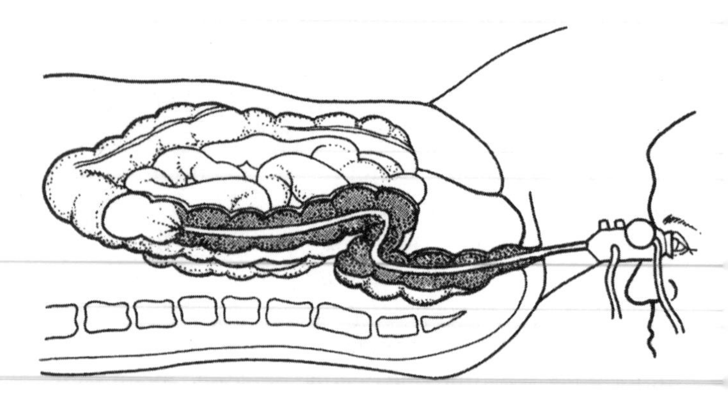

Figure 3 Une colonoscopie

L'ensemble des critères pour établir un diagnostic de SII

Votre médecin peut diagnostiquer un SII si vous présentez au moins trois des symptômes suivants et si les autres examens médicaux sont normaux. Souvenez-vous qu'il est vital que votre médecin établisse un diagnostic de SII, de manière à ne pas manquer de détecter d'autres maladies avec des symptômes similaires. N'essayez pas de poser vous-même un diagnostic.

- Les douleurs s'estompent après être allé à la selle.
- Des selles plus fréquentes après l'apparition de la douleur.
- Des selles plus molles après l'apparition de la douleur.
- Dilatation abdominale.
- Passage du mucus.
- Sensation d'évacuation incomplète.

CHAPITRE 3

Causes et facteurs de risque

Comment et pourquoi le SII se développe

La vérité, c'est qu'il n'y a pas de cause unique et bien définie au SII. Pendant des centaines d'années, cette question a laissé perplexes médecins et autres experts. Déjà, en 1849, dans la Gazette médicale de Londres, le Dr W. Cumming exprimait sa stupéfaction dans ces termes : « Chez le même individu, les intestins sont tantôt constipés, tantôt relâchés… Je ne m'explique pas comment la maladie peut avoir deux symptômes aussi différents. »

L'un des plus gros problèmes auxquels se heurtent ceux qui effectuent la recherche sur ce syndrome, c'est le manque d'argent, et cela explique pourquoi les symptômes qui ont consterné le bon docteur Cumming hantent encore ses homologues 150 ans plus tard.

Admettons-le : le SII n'est pas un sujet très attrayant, surtout si vous n'en souffrez pas. Lancez une campagne de financement pour la recherche sur les maladies du cœur ou sur la leucémie chez les enfants, et l'argent commence à affluer avant que vous n'ayez prononcé le mot « éprouvette ». Quand avez-vous vu quelqu'un au coin de la rue collecter des fonds pour la recherche sur le SII ?

Par conséquent, les choses évoluent lentement, surtout si l'on songe qu'il a fallu quelques décennies pour convaincre la majorité des médecins — et il y a encore beaucoup de travail à faire en ce sens — que le SII est bel et bien un problème médical en soi. Malgré tout, d'importants progrès ont été enregistrés et il semble à présent que le SII ait une diversité de causes possibles, selon l'individu qui en souffre.

Tout est dans la tête ?

La médecine orthodoxe fait une distinction entre les causes physiques et les causes psychologiques du problème. Mais à mesure que la recherche ajoute à nos connaissances de la condition humaine, cette distinction semble de plus en plus irréaliste. De nos jours, l'ensemble du corps médical accepte le fait que la santé physique d'une personne a une puissante influence sur son état d'esprit, et vice versa. Les deux sont si étroitement reliés, qu'il apparaît comme un véritable non-sens de vouloir les séparer.

Et pourtant, des années durant, les personnes souffrant de maladies tel le SII se sont fait répéter par leur médecin : « Tout est dans la tête. »

Mary, 54 ans, en est un exemple typique. Elle a souffert de crises de l'intestin irritable régulièrement pendant près de 20 ans. Elle dit : « Je continue de voir mon médecin, mais je me sens de plus en plus déprimée à l'idée de la chirurgie. Je sais que le docteur ne voudra pas m'examiner. Il prend un air découragé et commence à écrire une ordonnance avant même que j'aie eu le temps de m'asseoir. »

Le Dr Peter Whorwell, consultant en gastro-entérologie, affirme que ses 15 années d'expérience dans le traitement du SII l'ont convaincu à 99,9 pour cent que tout n'est pas dans la tête des patients. Et il ajoute que beaucoup de médecins sont à blâmer pour avoir essayé de convaincre leurs patients que tout est dans leur tête.

Il croit que les deux ou trois premières consultations médicales des malades du SII sont vitales, parce qu'elles sont souvent décisives quant au fait qu'ils prennent du mieux ou qu'ils entreprennent une suite interminable de visites et d'examens, dont trop de gens ont déjà fait l'expérience. Whorwell dit que si l'on veut résoudre le problème, la première condition est de le prendre au sérieux. Sa clinique est bondée de gens désespérés et en colère, qui en ont assez de courir à droite et à gauche et qu'on les envoie balader en leur répétant : « Vous êtes en parfaite santé »

Il dit encore : « Je les laisse parler pendant une bonne demi-heure ou plus. Ces gens sont très fâchés et blessés. L'important, quand ils repartent d'ici, c'est qu'ils soient convaincus que nous les croyons, qu'ils sachent que leur problème est bien réel. C'est un bon début. Une fois qu'ils savent qu'il y a vraiment quelque chose qui ne tourne pas rond chez eux, ils peuvent commencer à faire face à la situation. »

L'école de pensée médicale du « tout-est-dans-la-tête » s'appuyait sur deux facteurs en apparence importants. Le premier, c'est que les intestins des personnes souffrant du SII semblent tout à fait normaux, puisqu'on n'y détecte rien qui ressemble à un cancer ou à un ulcère. En fait, on peut dire que le SII est, par définition, un diagnostic d'exclusion, le genre d'approche que l'on conclut par : « Eh bien, monsieur Gagnon, ce doit être le SII puisque nous ne trouvons aucun problème physique. » Mais ce n'est pas parce que tout semble aller pour le mieux que tout va effectivement pour le mieux.

Le deuxième facteur, c'est que le stress affecte le SII sans l'ombre d'un doute. De nombreuses personnes qui en souffrent notent que leur problème s'aggrave en période de nervosité, d'anxiété ou de bouleversements. Mais cela arrive à tout le monde jusqu'à un certain point, et non seulement aux personnes qui ont le SII. La plupart d'entre nous éprouvons des problèmes digestifs avant un examen, un entretien pour un emploi, avant de nous marier ou avant tout autre événement stressant. Cependant, certains malades du SII disent que leurs symptômes s'estompent dans les périodes de grand stress, pour se manifester de nouveau plus tard.

Les chercheurs ont longtemps cherché un lien entre le SII et l'état psychologique d'un sujet. Certains ont trouvé que ceux et celles qui en souffrent ont plus de problèmes psychiatriques, tels troubles de la personnalité, anxiété ou dépression. Mais d'autres experts font remarquer que ces études touchent des individus ayant été gravement atteints du syndrome pendant plusieurs années et que par conséquent, de tels troubles psychiatriques pourraient tout aussi bien résulter du SII, plutôt que d'en être la cause. En effet, vivre pendant des années avec un grave syndrome de l'intestin irritable pourrait rendre quiconque anxieux et dépressif !

Les études qui s'intéressent aux personnes souffrant du SII et n'ayant pas consulté de médecin à ce sujet — de loin la majorité des gens — montrent clairement que celles-ci ne sont pas psychologiquement différentes des gens en santé.

Par conséquent, de nombreux experts croient maintenant que le SII est, dans bien des cas, un problème sous-jacent fort semblable à l'asthme. Il est là, caché quelque part, grondant en sourdine, jusqu'à ce que quelque chose se produise dans la vie d'un individu, qui provoque une crise aiguë. Des symptômes que les gens ont ignorés pendant des années deviennent soudainement importants au point de les amener à consulter un docteur. Par exemple, quelqu'un qui s'est toujours accommodé des symptômes du SII peut tout à coup en prendre conscience de façon aiguë lorsqu'un parent apprend qu'il a un cancer.

Selon cette théorie, nous avons tous une forme de faiblesse génétique contrôlée, héritée des générations précédentes, et lorsque des événements stressants se produisent, la partie la plus faible de notre organisme est la première à en ressentir la pression. Pour certaines personnes, cela peut s'exprimer par le SII, pour d'autres par l'asthme, pour d'autres encore par de l'hypertension artérielle, et ainsi de suite.

Ainsi, bien que l'état d'esprit d'une personne ne puisse pas causer un problème comme le SII, il peut fort bien influencer sa perception de la maladie et ce qu'elle décidera de faire à ce sujet.

Ce qui ne veut pas dire que le SII ne peut pas, à l'occasion, être provoqué par un état psychologique perturbateur, comme les suites d'un abus physique ou sexuel, de la même manière qu'un tel état d'esprit peut causer bien d'autres symptômes physiques. Comme le dit un gastroentérologue : « Il faut du temps et du travail des deux côtés, mais la plupart de nos patients se sentent beaucoup mieux au bout d'un an environ. Ils ne sont pas guéris, ils ont encore des crises, mais ils y réagissent mieux. Certains, bien sûr, mettent plus de temps, et il y a des cas où vous commencez à soupçonner qu'il y a un secret honteux — peut-être un problème d'abus physique ou sexuel — mais vous devez attendre qu'ils soient prêts à en parler. »

Il est aussi prouvé que ceux qui consultent leur médecin pour le SII sont plus enclins à demander de l'aide médicale pour leurs problèmes, et cela a mené certains chercheurs à formuler une théorie de « comportement maladif appris ». Une étude intéressante, quoique un peu bizarre, menée à Cincinnati aux États-Unis, consistait à téléphoner au hasard et à demander aux personnes jointes si elles souffraient d'un ulcère d'estomac ou du SII, puis de les questionner sur leurs habitudes et leur style de vie. Les personnes souffrant du SII, comparées à celles qui n'en souffraient pas, ont rapporté plus de symptômes physiques : elles soignaient le rhume et la grippe avec plus de sérieux et allaient chez le médecin plus souvent pour des problèmes mineurs. Celles qui souffraient du SII avaient plus souvent été récompensées ou reçu la permission de manquer l'école lorsqu'elles étaient malades dans leur enfance.

Les auteurs de l'étude arrivèrent à la conclusion que les gens qui consultaient leur médecin pour le SII avaient appris, alors qu'ils étaient jeunes, à associer la maladie avec le fait de recevoir de l'attention et conservaient ce comportement dans leur vie adulte.

Une autre explication à cela, et celle-ci correspond à la conviction du Dr Whorwell quant à l'importance d'avoir un problème médical identifiable de manière à pouvoir y faire face, est que les personnes souffrant d'un ulcère d'estomac savaient qu'elles avaient un ulcère et avaient appris à vivre avec celui-ci. D'un autre côté, celles qui souffraient du SII faisaient face à un diagnostic incertain et au scepticisme médical, ce qui les rendait plus inquiètes au sujet de leur santé générale.

Finalement, parmi les experts, certains croient que les malades du SII ont une interprétation erronée des fonctions ordinaires du corps et des maladies, qu'elles voient comme quelque chose d'extraordinaire. Un exemple classique du travail menant à cette croyance, c'est cette étude de deux chercheurs américains, Lasser et Levitt, qui, en 1975, ont trouvé que les patients souffrant du SII et se plaignant de ballonnements et de gaz ne présentaient pas un excès de gaz intestinaux.

D'autres laissent supposer encore que les malades du SII interprètent mal l'évacuation de leurs matières fécales. Ils font remarquer que la fréquence des selles peut varier grandement, allant de trois fois par semaine à trois fois par jour, et que cela est tout à fait normal. Certaines personnes souffrant du

SII, disent-ils, voient ces variations normales comme étant anormales, et peuvent prendre pour de la diarrhée des selles fréquentes, grumeleuses ou fragmentées.

Causes physiques

Alors si le SII n'est pas un problème « tout-dans-la-tête », quelles en sont les causes physiques ? Chacun a sa petite théorie sur la question.

Voyons d'abord l'approche traditionnelle. La vaste majorité des chercheurs croient que le SII est la résultat soit d'une mauvaise circulation de la nourriture dans les intestins — un proccesus désigné sous le nom de *motilité* —, soit d'un problème ayant trait à la manière dont les nerfs responsables des sensations intestinales fonctionnent, ou peut-être une combinaison des deux.

La nourriture passe à travers le système digestif grâce à des contractions des parois des muscles intestinaux. Si les aliments sont poussés trop rapidement, vous faites de la diarrhée ; trop lentement, vous êtes constipé. Si les parois se contractent trop, il en résulte de la douleur. La recherche montre que les spasmes des personnes souffrant du SII sont souvent associés à une soudaine suite de contractions des parois de l'intestin grêle.

D'autres recherches arrivent à la conclusion que chez les malades du SII, les nerfs contrôlant les sensations perçues par l'intestin pourraient être déficients. Les personnes atteintes éprouvent de la douleur à un niveau moindre de « dilatation rectale » — c'est-à-dire quand le rectum est moins plein — que les autres. En effet, pour prouver que cette déficience peut affecter tout le système digestif, certains experts soulignent le fait que 56 pour cent des gens souffrant de douleurs à la poitrine souffrent aussi du SII.

Le rôle de l'alimentation

Le rôle de l'intestin est de digérer notre nourriture, aussi est-il tout à fait logique que ce que nous mangeons influence son fonctionnement.

En 1972, une étude comparait la population de l'Afrique rurale, dont l'alimentation est naturellement riche en fibres, et qui souffre rarement des problèmes intestinaux occidentaux, avec des populations d'Europe et des États-Unis. L'étude a démontré que plus il y a de fibres dans la nourriture, plus les selles sont lourdes et plus la digestion se fait rapidement.

Et bien que, comme le savent nos aînés, il y ait belle lurette qu'il est admis que les fibres sont bonnes pour la digestion, les résultats de cette étude soulevèrent un grand enthousiasme et donnèrent naissance à la fameuse « théorie des fibres alimentaires ». Cette théorie soutient que de nombreuses maladies et problèmes du côlon ou des organes de la digestion, incluant le SII, sont le résultat d'un régime fait d'aliments raffinés et pauvres en fibres.

De plus amples recherches ayant démontré que les fibres, qu'elles proviennent du son de blé, du psyllium (ispaghula) — une espèce de plantain — ou d'autres agents fibreux, étaient efficaces dans la réduction de la constipation, on inventa le « régime à base de fibres » : une culture venait de naître. Très rapidement, tout le monde se gavait de fibres aussi vite qu'il était possible.

Au cours des 20 dernières années, il est devenu routinier, pour les médecins, de conseiller des suppléments de son comme traitement de première ligne du SII. Le problème, c'est que le SII est très complexe ; aussi, alors que les fibres peuvent réduire la constipation, il y a maintenant toute une partie de la recherche qui montre que le son peut parfois aggraver le problème. Plus inquiétante encore est la conviction qu'ont certains experts qu'une consommation excessive de son — sous forme de suppléments, de céréales, etc. — créerait plus de cas de SII, en aggravant des symptômes existants mais légers.

Dans une récente étude menée auprès de 100 personnes souffrant du SII, 55 pour cent d'entre elles disent que le son a aggravé leurs symptômes, et plus spécifiquement ceux reliés aux selles, alors que 10 pour cent ont trouvé que les choses s'étaient améliorées.

Intolérance alimentaire

Le rôle des aliments dans le SII donne sans doute lieu à plus de controverse que n'importe quelle autre question. Beaucoup de médecins le repoussent du revers de la main, alors que de nombreux praticiens traditionnels basent tout leur traitement sur ce fait.

La raison de cette controverse pourrait bien être la confusion entre les termes « intolérance » et

« allergie ». Si nous trouvons qu'un aliment ne nous réussit pas, nous disons que nous y sommes « allergiques », mais nous utilisons souvent le mauvais terme.

Lorsque le système immunitaire du corps trouve des envahisseurs étrangers, il se prépare à les détruire. On peut constater la mobilisation de nos forces défensives internes et la bataille qui s'ensuit avec l'envahisseur, en étudiant la production de divers éléments chimiques dans notre sang. Si le corps réagit comme si certains aliments étaient des envahisseurs et qu'il produit des « anticorps » chimiques contre eux, il s'agit d'une vraie allergie.

Mais en général, les chercheurs ont échoué dans leur tentative de prouver la présence de cette sorte de réaction immunologique à divers aliments dans le SII, et en sont arrivés à la conclusion que les allergies ne jouent aucun rôle dans le syndrome. À strictement parler, c'est juste, suivant la définition du mot allergie, mais nous avons de plus en plus de preuves que l'intolérance alimentaire, plutôt que les allergies, peut être responsable de plusieurs cas de SII.

Dans les cas d'allergies, une toute petite quantité de substance étrangère suffit à provoquer une réaction immunitaire drastique, voire même critique, comme le savent trop bien toutes les personnes allergiques aux aliments tels les fruits de mer. Mais dans les cas d'intolérance alimentaire, il faut une quantité assez importante de substance à risque pour que les symptômes se développent lentement et furtivement au fil des jours, des semaines et parfois même plus. Selon de nombreux chercheurs, ceux qui évoquent une intolérance alimentaire comme facteur du SII ne font pas cette association vitale, car ils oublient le temps qu'il faut avant que n'apparaisse une telle réaction.

En Grande-Bretagne, le Dr John Hunter de l'hôpital Addenbrooke's à Cambridge, l'un des plus ardents partisans de l'intolérance alimentaire comme cause du SII, suggère que les choses peuvent se produire de deux façons :

- Premièrement, en tant qu'effet direct des produits chimiques contenus dans les aliments, tels la *caféine*, la *tyramine* et l'*histamine* (que l'on trouve dans le fromage), le *glutamate* et divers additifs comme la *tartrazine*. Tous, à chaque jour, nous devons composer avec ces substances et bien d'autres — dont plusieurs sont potentiellement toxiques — et pour nous protéger, nous comptons sur des éléments chimiques connus sous le nom d'*enzymes*, produits dans l'intestin et le foie. Les enzymes permettent la transformation de ces substances, ce qui les rend inoffensives. Mais le Dr Hunter croit qu'il y a des personnes, peut-être pour des raisons génétiques, qui produisent moins de certaines enzymes protectrices que d'autres, ce qui les rend vulnérables à certaines de ces substances. Certes, la recherche a déjà démontré que plusieurs personnes ayant des diarrhées dues à une intolérance alimentaire ne produisent pas assez de l'enzyme *lactase* (une maladie appelée *alactasie* ou *intolérance au lactose*).
- Deuxièmement, en tant que résultat d'un déséquilibre des diverses bactéries, ou *microflore*,

dans l'intestin. Les recherches du Dr Hunter et celles d'autres laboratoires montrent que l'équilibre des bactéries peut être d'une extrême importance. La microflore joue un rôle vital pour aider à la transformation des aliments au cours du processus de digestion ; mais si certains types de bactéries commencent à se multiplier rapidement aux dépens des autres, les problèmes apparaissent. Une recherche montre que chez certains malades du SII, l'équilibre de ces bactéries est anormal, et le Dr Hunter et ses collègues croient que cela peut faire en sorte que certains aliments sont convertis en produits chimiques toxiques dans le côlon. Ces derniers pourraient alors produire plusieurs des symptômes du SII, incluant ballonnements, gaz intestinaux, habitudes d'évacuation des selles perturbées, et spasmes douloureux des muscles des parois de l'intestin.

Antibiotiques et autres médicaments

Il est prouvé que certaines personnes développent le SII après la prise d'antibiotiques. Les antibiotiques sont excellents pour tuer les micro-organismes qui causent la maladie. Le problème, c'est qu'ils tuent par la même occasion d'autres bactéries, bonnes celles-là, et qu'ils perturbent alors l'équilibre de la microflore dans plusieurs parties du corps, dont le côlon.

Ces bactéries ont un rôle vital à jouer, non seulement en aidant la digestion, mais aussi en nous protégeant contre les envahisseurs telle la levure parasite *candida albicans*, mieux connue sous le nom de mycose. De nombreux docteurs débattent encore du rôle que joue le *candida albicans* dans le SII, mais certains praticiens, traditionnels et non traditionnels, ont trouvé que les symptômes s'estompent de façon spectaculaire si le candida est éliminé. D'autres médicaments, incluant les anti-inflammatoires telles l'*hydrocortisone* et la *prednisone*, ainsi que la pilule contraceptive, peuvent aussi provoquer une poussée de candida, et il est

Un petit groupe de chercheurs — dont le nombre s'accroît sans cesse — à travers le monde croient que plusieurs maladies modernes, incluant le SII, sont dues à un empoisonnement lent et insidieux au mercure contenu dans les plombages dentaires.

Ils soutiennent que le mercure peut s'échapper de l'amalgame dentaire, et que lorsque cela se produit, il peut compromettre le travail du système immunitaire en tuant les bonnes bactéries dans l'intestin, et en laissant le champ libre à la croissance du candida et d'autres infections à levure.

Bio-Probe, un bulletin mensuel américain consacré aux mises en garde contre les prétendus dangers des plombages au mercure, a compilé les résultats de six études faites dans quatre pays, auprès de 1 600 personnes qui avaient fait remplacer les amalgames de leurs plombages.

Parmi celles qui avaient souffert de symptômes gastro-intestinaux, 83 pour cent rapportaient une amélioration générale ou une guérison, de même que 88 pour cent de celles qui avaient eu un problème spécifique de ballonnements. En tout, on a rapporté la guérison ou l'amélioration de 31 maladies différentes.

Toutefois, avant de prendre un rendez-vous pour faire remplacer vos plombages, rappelez-vous que jusqu'ici, il y a très peu de preuves scientifiques soutenant cette théorie, et que l'intervention peut être très coûteuse.

aujourd'hui prouvé que ceux qui cessent de prendre des tranquillisants et des somnifères après en avoir pris pendant une longue période peuvent éprouver le même genre de problèmes.

Infections

Certaines personnes souffrant du SII relient l'apparition de leurs symptômes à une crise de gastroentérite, normalement causée par une infection bactérienne. Encore une fois, un déséquilibre des bactéries ou de la microflore du côlon, qui à l'origine était dû à l'infection, et parfois le traitement de l'infection peuvent provoquer le SII.

Hyperventilation et air avalé

L'hyperventilation est une respiration saccadée et superficielle, qui vient seulement du haut de la poitrine plutôt que du ventre. Elle peut se produire dans les moments de stress et de tension et, chez certaines personnes, devenir une habitude. Elle peut mener à de l'essoufflement, et dans certains cas, causer des douleurs à la poitrine, des palpitations et même des crises de panique. Mais l'hyperventilation entraîne aussi des effets gastro-intestinaux tels les ballonnements et les rots, parce que les personnes atteintes ont tendance à avaler de grandes quantités d'air.

CHAPITRE 4

Comment vous aider vous-même

Trucs et conseils de prévention et de traitement

Souffrir du SII peut être désagréable, douloureux et très démoralisant, mais ce chapitre vous montrera comment, à partir d'aujourd'hui, vous pouvez commencer à faire ce qu'il faut pour vous guérir vous-même.

Comme pour la plupart des longues maladies, il n'existe pas de cure magique, mais des milliers de gens souffrant d'un syndrome de l'intestin irritable grave retrouvent effectivement une vie normale, et rien ne peut vous empêcher d'être l'une d'entre elles.

Ce qu'il vous faut comprendre dès le début si vous souffrez du SII, c'est que vous avez un problème de santé bien réel — malgré ce que certains médecins voudraient vous faire croire — avec de vraies causes physiques, et que, si vous êtes prêt à accepter cela et que vous êtes assez déterminé, il y a beaucoup de choses que vous pouvez faire pour traiter ces causes et vous guérir vous-même de façon naturelle.

Ça peut sembler ne pas être le cas en ce moment, mais votre corps est un merveilleux organisme équilibré et complexe, avec un extraordinaire potentiel naturel d'autoguérison, à condition de le laisser faire. Le premier pas à franchir, pour tous et chacun, en vue de libérer ce pouvoir de guérison, c'est de réapprendre une chose que nous savions tous d'instinct lorsque nous étions jeunes, une chose

> Le pouvoir curatif des aliments est connu depuis des milliers d'années. Hippocrate, ce Grec de l'Antiquité reconnu comme le père de la médecine moderne — de nos jours, les médecins respectent toujours le serment d'Hippocrate, même s'ils ne le prononcent plus —, pressait ses étudiants de faire des aliments leurs médicaments, et non des médicaments leur nourriture.
>
> Ce principe est également prioritaire en médecine indienne traditionnelle, appelée médecine ayurvédique. Elle soutient que certains aliments, comme les viandes et les épices, créent un état mental plus agressif, alors que d'autres, comme les produits laitiers et les aliments gras, mènent à un état passif, dépressif, et que d'autres encore, comme le riz, les légumes et légumineuses, créent un état d'équilibre mental harmonieux. Les docteurs ayurvédiques prescrivent par conséquent divers aliments, suivant les symptômes de leurs patients.

si simple que nous l'avons oubliée en grandissant. Nous avons oublié comment écouter notre corps.

Cela peut sembler simpliste de vous dire de manger lorsque vous avez faim, de boire lorsque vous avez soif, de faire de l'exercice lorsque vous êtes agité, de relaxer lorsque vous êtes tendu, de dormir lorsque vous êtes fatigué, mais en tant qu'adultes, combien d'entre nous s'appliquent vraiment à satisfaire ce genre de besoins fondamentaux ? Au lieu de cela, la pression croissante de la vie quotidienne nous pousse à une vitesse effarante vers des nuits agitées et des jours remplis de frustrations.

À longueur de jour, nombreux sont ceux et celles qui passent des heures de frustration, assis dans des bureaux sans lumière du jour, devant un écran d'ordinateur, buvant à grands traits des tasses de café et de thé riches en caféine et mangeant en vitesse des aliments bourrés de produits chimiques et potentiellement toxiques. Après le travail, leur seul exercice consiste à se rendre à leur voiture ou à leur train, et en arrivant à la maison, ils passent la soirée écrasés devant le téléviseur, à boire à grands traits des tasses de café et de thé riches en caféine en mangeant des aliments transformés bourrés d'additifs. Ils se mettent ensuite au lit sans avoir fait aucun exercice et saturés de caféine et d'additifs, et s'étonnent de ne pas arriver à dormir.

Ajoutez à cela les problèmes familiaux et financiers auxquels nous devons faire face tous les jours, et peut-être l'habitude de fumer et de boire un peu trop, surtout en temps de stress ; et après quelques années de ce régime, ce serait miraculeux si nous ne tombions pas malades.

Comme nous l'avons dit plus tôt, nous avons tous une faiblesse physique innée, souvent transmise de génération en génération. Plus nous nous entêtons à ignorer nos vrais besoins pour mener une existence saine, plus il est probable que ce corps que nous utilisons si mal, comme un moteur de voiture rempli du mauvais type de carburant et d'huile, commencera à se dégrader. Et bien sûr, les fissures se mettront à apparaître aux points les plus faibles. Bonjour l'hypertension artérielle et les maladies cutanées, ou une multitude d'autres maux, incluant évidemment le SII !

Par conséquent, le premier pas sensé à franchir sur la route de la guérison du SII, c'est de jeter un regard honnête à notre style de vie. Comme toutes les routes, celle-ci a besoin d'être franchie un pas à la fois et si, en général, une amélioration de votre style de vie ne suffit pas, vous pouvez pousser plus loin votre analyse pour découvrir des causes plus précises.

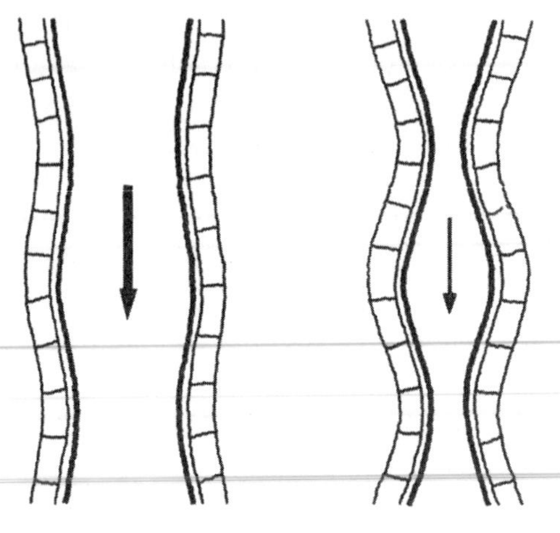

Figure 4 Un intestin normal et un intestin constipé

Alimentation

« Nous sommes ce que nous mangeons », dit le vieux dicton, et bien sûr, c'est la vérité. (En fait, « Nous sommes ce que nous absorbons » serait plus vrai encore.) Il ne fait aucun doute qu'une alimentation saine aide à se sentir et à paraître mieux, exactement comme une mauvaise alimentation l'effet contraire.

Le problème, c'est que de nos jours, les gens ne savent plus trop bien ce qu'est une alimentation saine. La moindre nouvelle trouvaille donne lieu à un battage publicitaire ; il semble que ce qui était bon pour nous hier est mauvais aujourd'hui, et vice versa, avec le résultat que nous sommes de plus en plus confus de révélation en révélation, et essayons de trouver le juste milieu dans ce joyeux fouillis.

Il subsiste toutefois, dans ce chaos, quelques règles de bon sens sur lesquelles une majorité s'entend et que tous, et tout particulièrement les personnes souffrant du SII, devraient garder en mémoire :

• Lorsque c'est possible, éviter les aliments additionnés de produits chimiques comme les colorants ou agents de conservation, c'est-à-dire la plupart des aliments transformés. (L'intestin est déjà assez occupé avec les produits chimiques naturellement contenus dans les denrées qui constituent notre alimentation moderne, sans que nous le surchargions de produits étrangers.) Heureusement, cela est plus facile depuis que l'étiquetage des produits fournit la liste détaillée des ingrédients. Malheureusement, vous ne pouvez pas tout vérifier lorsque vous mangez au restaurant ou sur le pouce. Les plats préparés à

Fibres alimentaires dans les aliments courants (% / 100 g)

Fruits	
Abricots (séchés)	24,0
Bananes	3,4
Figues (séchées)	18,5
Pruneaux	16,1
Pommes	2,0
Oranges	2,0
Pêches	1,4

Légumes	
Pois (surgelés)	12,0
Épinards	6,3
Maïs sucré	5,7
Carottes	3,1
Haricots au four	7,3
Choux de Bruxelles	2,9
Céleri	2,2
Pommes de terre (au four)	2,5
(nouvelles, bouillies)	2,0
Chou-fleur	1,8
Chou	2,8

Pain	
Brun	5,1
Complet	8,5

Noix	
Noix de coco	23,5
Amandes	14,3
Arachides (évitez les arachides salées ou rôties à sec)	8,1

Bien sûr, les fruits et légumes frais sont préférables, si vous pouvez vous les procurer. Malheureusement, la plupart des fruits séchés sont vaporisés ou trempés dans des produits de conservation pour leur donner une apparence humide, et ces substances doivent être enlevées par un lavage à l'eau chaude. Certains fruits séchés, tels les abricots, les pêches, les poires et les pommes, sont souvent traités à l'anhydride sulfureux, pour qu'ils conservent leur couleur. Plongez-les une minute dans l'eau bouillante que vous jetterez ensuite.

emporter posent un problème particulier à cet égard. Il est préférable de les éviter, parce qu'on y met souvent les ingrédients les plus économiques et de moindre qualité, et cela, particulièrement dans le cas des mets chinois et autres repas rapides orientaux, auxquels sont ajoutés des produits potentiellement toxiques pour la conservation ou pour rehausser la saveur, tel le *glutamate monosodique*.

- Ayez une alimentation équilibrée consistant le plus possible en produits frais, faible en gras animal, en sel et en sucre, et riche en légumes, en grains entiers comme le riz brun, et en fruits. Et mangez des petits repas à heures fixes.
- *Comment* vous mangez peut être aussi important que *ce que* vous mangez, alors essayez toujours de manger vos repas lentement, dans une atmosphère de détente, et donnez-vous la chance de goûter la nourriture. Cessez toujours de manger lorsque vous sentez la satiété. Pensez à écouter votre corps.

Les fibres et le SII

Dans le chapitre précédent, nous avons vu qu'il y a de plus en plus de preuves que le son de blé peut aller à l'encontre du but recherché dans le SII, aggravant plutôt qu'il ne soulage les symptômes de bien des gens qui en souffrent.

Toutefois, une augmentation des fibres dans l'alimentation est généralement considérée comme étant bénéfique pour le travail du système digestif, surtout dans les cas de SII reliés à la constipation, car cela prête des fibres aux selles, donnant aux parois intestinales un appui pour mieux pousser (figure 4).

Conséquemment, la solution pour ceux dont les symptômes du SII ne s'améliorent pas, ou s'aggravent avec le son de blé, c'est d'aller chercher les fibres dans d'autres aliments comme l'avoine, les graines comme les haricots et les pois, et les fruits. Ainsi, si un supplément de son ne change rien ou aggrave votre cas, ne paniquez pas et dites-vous que vous pourriez souffrir d'une autre maladie que le SII. Essayez de manger plus d'aliments compris dans la liste apparaissant dans l'encadré de la page 52.

Un avantage inattendu, c'est que les fibres contenues dans l'avoine et les haricots sont solubles, contrairement au son de blé, et il y a une partie de plus en plus grande de la recherche qui indique que les fibres solubles peuvent faire baisser le taux de cholestérol et ainsi protéger contre les maladies du cœur.

Selon Simon Horner, enseignant en nutrition au Collège britannique de naturopathie et d'ostéopathie à Londres, il faut que l'augmentation de la consommation des fibres se fasse graduellement, en remplaçant le pain blanc par le pain brun, le riz blanc par le riz brun, en augmentant peu à peu la consommation quotidienne de fruits et de légumes, et ainsi de suite, pour donner le temps à l'intestin de s'ajuster. N'allez pas engloutir de grands bols de *All-Bran*.

Il faut procéder de la même manière pour passer à un style de vie plus sain. *Graduellement* est le terme qu'il faut retenir ici encore. Ne vous précipitez pas pour acheter des quantités de riz brun et de lentilles : cela risquerait de vous écœurer de manger sainement pour le restant de vos jours ! Un style de vie plus sain veut dire un style de vie *pour vous*, et il faut mettre le temps de trouver ce qui vous convient, à vous et à votre corps, et ce qui ne vous convient pas.

Comment le fait de boire régulièrement peut aider

Le Dr Fereydoon Batmanghelidj, un expert américain, estime que nous avons soif sans même nous en apercevoir la plupart du temps. Il recommande de boire un verre d'eau de 250 ml (8 oz) *avant* chaque repas — et non pendant — et un autre deux heures après les repas.

Il fait remarquer que le corps est fait de 75 pour cent d'eau et de seulement 25 pour cent de matières solides, et que si les cellules manquent d'eau, elles se mettent à fonctionner moins efficacement.

Le Dr Batmanghelidj dit que six à huit verres d'eau par jour est le minimum dont nous ayons besoin pour préserver notre santé, et il soutient que l'eau du robinet est tout aussi bonne que les eaux embouteillées qui coûtent cher.

Nous sommes tous des individus uniques et nous avons tous des besoins différents, des choses que nous aimons et des choses que nous avons en aversion. Un style de vie qui me convient ne vous conviendra pas nécessairement. Toutefois, de nombreuses personnes qui souffrent du SII s'aperçoivent que certaines choses ont tendance à aggraver leurs symptômes. La seule manière de découvrir si cela est aussi votre cas, c'est d'essayer graduellement — encore ce mot clé — de réduire votre consommation de ces produits et de voir si vos symptômes s'améliorent.

Rappelez-vous qu'il vaut mieux cesser tranquillement de consommer certains produits, plutôt que de les bannir brusquement tous à la fois. Le fait de vous priver de tout en même temps peut faire que vous désiriez encore plus ces choses, et en fait, vous pourriez vous apercevoir qu'il est inutile de bannir complètement votre aliment ou votre boisson préférés.

Thé et café

La plupart d'entre nous aimons déguster une bonne tasse de café ou de thé, mais plusieurs personnes souffrant du SII ont noté qu'en buvant moins de thé ou de café et même parfois en cessant complètement d'en boire, leurs symptômes s'estompaient. Tentez l'expérience. Essayez de les remplacer par des tisanes à base de plantes, des jus de fruits non sucrés — les jus sucrés sont saturés de sucre — ou de l'eau de source. Le café et le thé contiennent de la caféine, un puissant stimulant, qui influence directement le fonctionnement des intestins, et indirectement la stimulation générale du système nerveux, rendant la relaxation difficile.

Alcool

L'alcool, comme tout le reste, a ses avantages et ses inconvénients. D'un côté, c'est un dépresseur du système nerveux, et trop d'alcool peut compromettre le bon fonctionnement des intestins. Cela peut aussi encourager la croissance du candida, qui, comme nous l'avons vu, pourrait jouer un rôle dans le SII, selon certains praticiens. D'un autre côté, la plupart des experts médicaux s'entendent pour dire qu'une consommation modérée n'est généralement pas dommageable pour la santé, et l'alcool est un important relaxant pour bien des gens et il les aide à socialiser.

Encore une fois, la meilleure chose est de cesser d'en prendre et de voir si cela améliore votre état. Cependant, voici deux règles importantes à respecter :

- Ne jamais boire d'alcool l'estomac vide.
- Si possible, alterner verres d'alcool et grands verres d'eau.

Gérer le stress

On s'accorde pour dire que les symptômes du SII peuvent être aggravés par le stress, et un nombre considérable de recherches scientifiques traditionnelles ont été menées sur l'efficacité de la gestion du stress et des programmes de relaxation. Dans l'ensemble, les résultats sont encourageants, comme le montrent les exemples qui suivent :

- On a sélectionné au hasard 35 personnes touchées par le SII pour qu'elles accèdent soit à un programme de gestion du stress, soit à un traitement traditionnel incluant des médicaments antispasmodiques. Le programme de gestion du stress comportait 6 séances de 40 minutes avec un physiothérapeute, où l'on aidait les malades à comprendre la nature de leurs symptômes et leur relation au stress, tout en leur enseignant des exercices de relaxation. Les deux tiers trouvèrent que ce programme les avait aidés à soulager leurs symptômes, avec pour résultat moins de crises aiguës. Parmi les personnes qui avaient eu un traitement traditionnel, très rares furent celles qui en tirèrent quelque bienfait.

• Dans une autre recherche, on notait le nombre de fois que les patients consultaient des médecins avant et après qu'ils aient reçu un cours de six mois sur les techniques de relaxation. On fit la même chose pour un autre groupe de malades du SII suivant une série de traitements traditionnels, le groupe de contrôle. Les consultations dans le groupe de relaxation chutèrent de 74 avant le cours à 6 après, alors que le nombre de consultations dans l'autre groupe était de 53 avant la thérapie et de 41 après.

Notre corps, et plus particulièrement notre système digestif, a besoin de beaucoup de fluide pour fonctionner adéquatement, alors assurez-vous de boire suffisamment, surtout si vous souffrez du SII. Toutefois, il ne serait peut-être pas très sage de prendre le liquide sous forme de café, de thé et d'alcool.

Tabagisme

Si vous fumez, essayez d'arrêter ou de fumer moins. Même si vous fumez peu, cela est nuisible, la cigarette pouvant causer le cancer du poumon, un ulcère du duodénum, une bronchite, de l'emphysème et une foule de problèmes cutanés.

La nicotine a un effet puissant sur le système nerveux et bien des gens qui souffrent du SII trouvent que le fait de cesser de fumer aide à réduire leurs symptômes.

Il est plus facile, pour certaines personnes que pour d'autres, d'arrêter de fumer, mais cela vaut la peine au bout du compte. En cessant de fumer, vous vous sentirez et vous paraîtrez en meilleure santé — comparez votre teint de fumeur avec celui d'un ami qui ne fume pas —, vous sentirez meilleur, ferez des économies et aurez l'impression d'avoir le contrôle sur vous-même, ce qui vous redonnera une confiance inestimable.

Relaxation

L'art de la relaxation — tout comme notre capacité de jouir du silence — est une habileté qui se perd dans notre monde mouvementé. De nombreuses personnes perdent à un point tel le contrôle de leur vie qu'elles ne se détendent jamais vraiment.

Se détendre ne signifie pas simplement ne rien faire. Aussi, si vous décidez de relaxer, faites-en un choix positif et ménagez-vous un moment pour demeurer seul et tranquille chaque jour. Prenez au moins une demi-heure par jour pour ne vous occuper que de vous-même. Quoi que vous décidiez de faire de ce temps — un peu de méditation, de yoga ; une randonnée à pied ; rester assis paisiblement ou même prendre un long bain chaud —, ce temps vous appartient, c'est le temps que vous prenez pour écouter votre corps et votre esprit.

C'est le moment où vous ne pensez pas au travail, à votre compte en banque, aux enfants, au chien, même à votre SII. Au début, la chose est extrêmement difficile, et nous savons tous comment il est facile de se laisser distraire par les problèmes extérieurs qui ont tendance à nous submerger. Mais ne laissez pas tomber. Graduellement, cela deviendra plus facile, et vous découvrirez que, en lâchant prise, vous commencez effectivement à vous sentir plus en contrôle pendant ce moment du jour, et plus tranquille et détendu après coup.

Au bout d'un certain temps, ce moment « réservé » deviendra à la fois un refuge et une banque de forces neuves sur lesquels vous pourrez compter autant pour l'énergie que pour la sérénité nécessaires pour garder le contrôle sur le reste de votre vie. Vous trouverez au chapitre 8 des techniques précises de relaxation et comment en apprendre plus sur ces techniques.

Vous acquerrez la capacité « d'inclure la relaxation » dans vos activités de tous les jours, et par conséquent de réduire le stress et les tensions dans votre vie. Même des tâches comme celle de vous laver peuvent être transformées en relaxation, si vous les accomplissez lentement, avec soin et attention. Quand vous vous brossez les dents, que vous prenez une douche ou un bain ou que vous allez à la selle, faites-le lentement ; concentrez-vous sur ce que vous faites et saisissez l'occasion de « connaître votre corps » et son fonctionnement. Vos muscles sont-ils détendus ? Comment est votre respiration ? etc. Apprenez comment on se sent à vivre le moment présent.

La respiration

La respiration est si fondamentale pour la vie — si nous cessons de respirer, nous mourons — que la plupart d'entre nous n'y pensons à peu près jamais. Seuls ceux qui souffrent de maladies des voies respiratoires, tels l'asthme, la bronchite et l'emphysème, ont tendance à penser à leur respiration de temps à autre. Et pourtant, la mauvaise respiration est un facteur important associé à toutes sortes de maux, incluant le SII (comme nous l'avons vu au chapitre précédent en ce qui a trait à l'hyperventilation, qui peut à la fois causer les symptômes du SII et les aggraver).

Lorsque nous inspirons, nous faisons entrer l'oxygène de l'air dans nos poumons, et lorsque nous expirons, nous expulsons le dioxyde de carbone et autres déchets gazeux hors de nos poumons, dans l'atmosphère.

Cette action sollicite des muscles situés entre les côtes — connus sous le nom de *muscles intercostaux* —, le *diaphragme* — un muscle en forme de dôme qui sépare la cavité pulmonaire de l'abdomen —, et divers muscles au haut de la cage thoracique et du cou, de même que dans l'abdomen et le dos.

Il y a deux façons de respirer, selon notre situation et notre état d'esprit à tout moment. Une respiration normale et naturelle se fait avec le diaphragme. Lorsque nous inspirons, il se contracte, poussant vers le bas le contenu de l'abdomen et créant un vide dans la poitrine, dans lequel l'air est aspiré. La pression vers le bas du diaphragme fait gonfler le devant de l'abdomen. Lorsque nous expirons, le diaphragme se relâche, forçant l'air vers l'extérieur des poumons et réduisant la pression sur le contenu de l'abdomen, ce qui lui permet de s'abaisser.

Cependant, lorsque nous sommes excités, bouleversés ou stressés de quelque manière, notre respiration naturelle change. Plutôt que d'utiliser le diaphragme, nous utilisons les muscles intercostaux pour gonfler la poitrine et ainsi aspirer rapidement de petites bouffées d'air superficielles. C'est une bonne technique « d'urgence », parce qu'elle nous permet d'obtenir la quantité maximale d'oxygène dans le plus court laps de temps possible, donnant à notre corps le supplément de pouvoir dont il a besoin pour faire face à toute urgence.

La respiration par la poitrine peut aller, du moment que nous revenons à une respiration normale et saine par le diaphragme une fois l'urgence passée. Mais bien des personnes la conservent, ce qui les garde dans un état de tension élevée et peut mener à des problèmes d'hyperventilation, dont des vertiges, des crises de panique, des douleurs pulmonaires, des migraines et des symptômes gastro-intestinaux.

Observez les bébés et les jeunes enfants. Vous verrez leur ventre se gonfler lorsqu'ils respirent naturellement en se servant de leur diaphragme. S'ils sont bouleversés ou apeurés, cela change instantanément en respiration pulmonaire. Dès qu'ils se sentent mieux, ils reviennent d'instinct à la respiration diaphragmatique.

Bref, la respiration, comme une foule d'autres sujets abordés dans ce chapitre, est quelque chose que bien des gens doivent réapprendre. C'est une chose qu'ils savaient instinctivement lorsqu'ils étaient bébés, mais qu'ils ont oubliée en grandissant.

Exercices de respiration

La capacité de contrôler sa respiration est fondamentale dans le yoga et la plupart des formes de méditation orientale depuis des milliers d'années. Essayez ces exercices quotidiens très simples. Il vous faut une pièce tranquille où vous serez seul environ 15 minutes.

Mettez des vêtements amples et enlevez vos chaussures. Étendez-vous paisiblement sur un lit ou sur le plancher, vos bras le long du corps avec les paumes vers le haut. Écartez les pieds d'environ 30 cm (12 po) et fermez les yeux.

Écoutez les sons autour de vous. Commencez avec les plus évidents, comme ceux provenant d'autres pièces de la maison, le murmure lointain de la circulation, et ainsi de suite. Maintenant, concentrez-vous sur ceux qui sont tout près de vous. Après deux minutes, commencez à vous concentrer sur votre respiration. N'essayez pas de la changer, concentrez-vous seulement sur votre façon de respirer. Respirez-vous par le diaphragme ou par les poumons ? Faites-vous une pause entre l'inspiration et l'expiration ? À quelle vitesse respirez-vous ?

Maintenant, placez lentement une main sur votre poitrine et l'autre sur votre abdomen, juste au-dessous de la cage thoracique. En expirant, laissez votre ventre redevenir plat. Essayez de toujours respirer par le nez, plutôt que par la bouche. En inspirant, laissez votre ventre se gonfler. Vous respirez avec votre diaphragme et votre poitrine ne bouge à peu près pas.

Prenez quelques minutes pour atteindre un rythme calme, lent et aisé. N'essayez pas de respirer à fond.

Inspiration et expiration devraient alterner en douceur et lentement, sans arrêt ou halètement. Si des inquiétudes et des distractions se présentent, n'essayez pas de les chasser. Laissez-les calmement flotter dans votre esprit, puis laissez-les ressortir avant de vous concentrer de nouveau sur votre respiration.
Graduellement, votre respiration deviendra facile, calme et régulière, à mesure que vous vous détendrez plus à fond. Quand vous vous sentirez prêt à arrêter l'exercice, prenez quelques respirations profondes, ouvrez les yeux, donnez-vous le temps de reprendre pleinement conscience du monde extérieur, puis tournez-vous sur le côté avant de vous relever.

Exercice physique

C'est effarant à quel point la plupart d'entre nous sommes inactifs. Nous passons des heures assis devant un ordinateur, un téléviseur, nous prenons la voiture pour faire des courses, et prenons l'autobus, le train ou encore la voiture pour aller au travail. Mais notre corps a besoin d'exercice physique, autant que de boire et de manger. Le cliché : « Tu t'en sers ou tu le perds » est très approprié dans le cas de l'exercice physique.

Sans un exercice adéquat, le métabolisme du corps ralentit. Nous prenons du poids, nos muscles s'affaissent, les toxines mettent plus de temps à quitter notre corps, puis apparaissent toutes sortes de symptômes, des maux de tête à la constipation et à la dépression.

Le problème, bien sûr, c'est que moins nous sommes en forme, plus il est difficile de faire des efforts pour y remédier, et plus nous tardons à faire de l'exercice, moins nous sommes en forme.

Il est vrai que les symptômes du SII n'encouragent personne à enfiler un collant et à se précipiter vers un cours d'aérobie, mais un exercice physique régulier vous aidera certainement à vous sentir mieux, à la fois en vous-même et à propos de vous-même.

Alors la solution, pour ceux qui n'ont pas envie de jouer au squash ou de passer des heures au gymnase, c'est d'inclure graduellement l'exercice physique dans leurs activités quotidiennes. Faites une marche tous les jours. Laissez la voiture à la maison lorsque c'est possible. Si possible, marchez pour aller travailler ou pour vous rendre à vos rendez-vous. Montez l'escalier, plutôt que de prendre l'ascenseur ou l'escalier roulant. Faites quelques exercices d'étirement simples dans votre cuisine en attendant que l'eau boue dans la bouilloire (certains mouvements de yoga sont très agréables à faire dans le bain) ou de la course sur place. Et lorsque vous regardez la télé, ne restez pas assis là pendant des heures sans rien faire — faites tourner vos chevilles et vos poignets, votre tête et votre cou à intervalles réguliers.

Graduellement, vous serez plus en forme, plus souple et plus confiant en votre corps. Vous pourriez même vous sentir prêt à aller nager une ou deux fois par semaine, et peut-être même à vous inscrire à un centre sportif. Évidemment, arrivé à ce stade, vous aurez déjà la satisfaction d'être plus en forme que la majorité de la population.

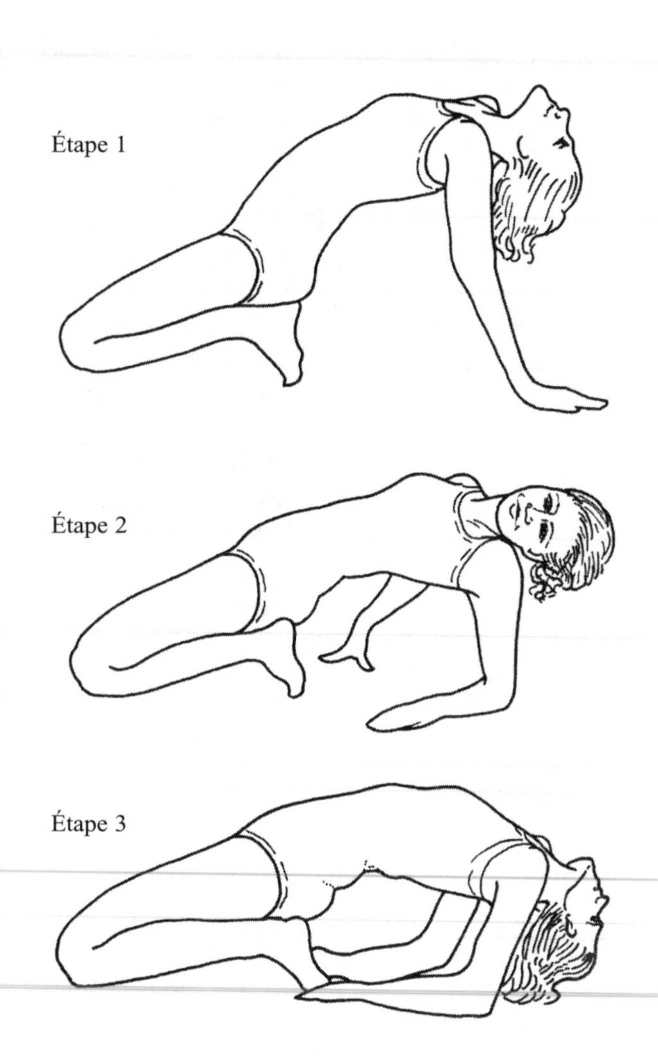

Figure 5 Exercices de yoga utiles pour le SII

Donnez-vous du temps

Si vous suivez les conseils contenus dans ce chapitre, il y a de bonnes chances pour que vous notiez une amélioration de vos symptômes, mais ne vous attendez pas à ce que cela se produise en deux jours. Vous pouvez priver votre corps et votre système nerveux de ce dont ils ont besoin pendant des années avant que le SII ne se déclare, et il n'est pas irréaliste de vous attendre à ce que cela prenne un certain temps avant que les dégâts ne soient réparés.

Ce qu'il faut retenir lorsque vous commencez à prendre du mieux, c'est de ne pas revenir à vos anciennes habitudes de vie en guise de revanche. Si votre style de vie était la cause de votre maladie depuis le début, dites-vous bien qu'il vous rendra encore malade si vous y revenez. Faites le point sur les habitudes qu'il vous a fallu changer pour améliorer votre santé et accrochez-vous à votre nouvelle manière de faire les choses.

CHAPITRE 5

Traitements médicaux traditionnels

Ce que votre médecin vous dira et ce qu'il fera probablement

Le Dr John Hunter, gastroentérologue spécialiste du rôle des intolérances alimentaires dans le SII (dont nous donnons les détails au chapitre 6), affirme que le SII est le problème le plus fréquent auquel lui et les autres médecins doivent faire face, et que c'est aussi celui qu'ils soignent le plus mal.

Il est vrai que la science médicale se bute au problème du SII depuis des siècles. Peut-être cette difficulté tient-elle surtout à l'attitude des médecins qui ont tendance à vouloir tout « cataloguer », dans leur tentative d'essayer de comprendre la grande diversité des maladies humaines.

Cette approche restrictive comporte des avantages. Par exemple, elle dresse des balises pour l'enseignement et l'étude des maladies, et concentre les efforts de la recherche dans des avenues potentiellement productives. On peut en effet douter que les récents progrès dans l'identification des bactéries et autres agents infectieux qui causent la maladie, de même que le développement des médicaments pour les combattre, auraient été possibles aussi rapidement sans cette approche.

Cependant, dans le cas d'un problème comme le SII, avec une multitude de causes possibles variant d'un individu à un autre et n'impliquant pas de maladie apparente, cette approche est vouée à l'échec.

Face à un patient souffrant et en colère, et menant une vie misérable sans raison apparente, nos médecins de l'école traditionnelle sont démunis. Avec une salle d'attente bondée, le médecin a rarement le temps d'écouter l'histoire d'un patient, ou même une fraction de son histoire, ce qui est dommage, parce que s'il le pouvait, il aurait une petite idée des causes de tant de souffrances !

Une recherche suédoise en a d'ailleurs fait la preuve éclatante. Des malades du SII qui avaient assisté à huit séances d'écoute et de soutien, et qui avaient reçu des conseils quant à leur style de vie, avaient moins de symptômes et d'incapacités — à la fois physiques et psychologiques — trois mois après l'expérience, qu'un groupe semblable n'ayant pas eu accès à ce genre d'aide.

Ce que la plupart des médecins peuvent offrir de mieux à leurs patients, c'est l'assurance que ce problème ne met pas leur vie en danger et une prescription qui, espèrent-ils, saura soulager certains symptômes.

Fibres

C'est le premier traitement qu'offrent la majorité des médecins. Le problème, c'est que les fibres sont habituellement offertes sous forme de suppléments de son et que, comme nous l'avons vu plus tôt, cela aggrave souvent les symptômes.

Le son peut aider dans le cas de légère constipation. Il donne des selles plus massives, qui permettent à l'intestin de faire passer les matières plus rapidement. Mais on s'explique mal comment il a pu devenir la « panacée » générale pour le SII, car les preuves qu'il aide à guérir sont vraiment minimes.

Si l'on prescrit le son dans le monde entier pour le SII, c'est qu'on a toujours pensé qu'il peut faire du bien, et que, dans tous les cas, il ne peut pas faire de mal. Toutefois, des études tendent aujourd'hui à prouver ce que bien des personnes souffrant du SII disent depuis des années, à savoir que le son aggrave leurs symptômes. Si l'on s'étonne que ce problème commence à peine à être reconnu, c'est parce que l'on sait que le son vient du blé, et que le blé est l'un des aliments auxquels les malades du SII sont le plus souvent intolérants.

En plus de cette intolérance potentielle, le son de blé est passablement rugueux et irritant, et c'est en fait la dernière chose que la majorité des malades du SII, dont les parois intestinales sont souvent très sensibles, devraient avaler.

Contrairement à l'effet souvent négatif du son de blé naturel, il semble que les suppléments de fibres fabriqués à partir d'extraits de plantes soient bénéfiques à bien des gens ; alors, il pourrait être plus sensé d'opter pour ce genre de produits. Ils agissent plus lentement que le son de blé, alors il faudra peut-être vous armer de patience au début.

Suppléments de fibres alimentaires

Marque	*Produits à partir de*
• Fybogel • Isogel • Vi-Siblin • Regulan • Métamucil	Ispaghula : d'une espèce de plantain
• Cellucon • Cologel • Celevac	Méthylcellulose : poudre faite de cellulose, une substance extraite des plantes
• Normacol	Sterculia : une espèce d'arbre tropical

Médicaments

La première chose à savoir à propos des médicaments traitant le SII, c'est qu'ils soulagent seulement quelques-uns des symptômes. Ils ne s'attaquent pas à la racine du problème et ne vous guériront pas.

La deuxième chose à retenir avant même d'envisager de prendre des pilules, c'est qu'il n'existe aucun médicament qui fasse uniquement du bien. Tous les médicaments ont des effets secondaires qui s'avèrent parfois pires que les symptômes qu'ils sont censés soulager.

Il n'existe aucun médicament efficace pour tous les cas de SII. Tout comme les symptômes des personnes atteintes varient, l'efficacité des différents médicaments varie d'un individu à l'autre, tout comme la gravité des effets secondaires, évidemment.

Les médecins sont en général de plus en plus réticents à prescrire des médicaments pour le SII, à moins que toutes les autres approches aient échoué. Le moment où ils prescrivent ce qu'ils prescrivent dépend des symptômes de la personne souffrante.

Par exemple, si la diarrhée est le principal problème, et peut-être l'incontinence devient-elle alors un handicap sérieux, un antidiarrhéique tel le *lopéramide* peut se révéler efficace. Le *lopéramide* est un opiacé qui agit en ralentissant le travail de l'intestin ; mais il doit être pris à petites doses sur de courtes périodes, car c'est un médicament qui crée de l'accoutumance et qui peut causer des rougeurs.

Pour la constipation qu'une plus grande consommation de fibres ne règle pas, il existe toute une gamme de laxatifs, mais encore une fois, il faut prendre ces médicaments pendant un court laps de temps. Ils ont tendance à rendre les muscles intestinaux paresseux, de sorte qu'en cessant le traitement, le problème risque d'empirer.

Les laxatifs sont de deux types principaux :

- *Osmotiques* : Les laxatifs osmotiques soulagent la constipation en poussant les fluides dans l'intestin de manière à adoucir les selles. Il faut les prendre avec beaucoup d'eau et il est important de continuer à boire beaucoup de liquide pendant tout le temps que dure le traitement.
- *Stimulants* : Les laxatifs stimulants agissent en augmentant les mouvements de contraction et de relaxation des muscles des parois intestinales, une action connue sous le nom de *motilité*, de façon à pousser les selles plus rapidement vers l'extérieur.

Le problème, c'est que cette stimulation peut aggraver et même provoquer la douleur souvent ressentie dans le SII, en causant des spasmes des muscles intestinaux.

Si les spasmes douloureux sont le symptôme prédominant, un médecin pourrait vous prescrire un médicament pour aider à prévenir les spasmes des muscles des parois intestinales. Ces antispasmodiques varient de la préparation d'huile de menthe poivrée (un antispasmodique naturel puissant) à toute une gamme de médicaments complexes et puissants connus sous l'appellation de *anticholinergiques*. Ces derniers sont efficaces, mais leurs effets secondaires peuvent inclure constipation, nausées, vomissements, vision floue, sécheresse de la bouche, confusion mentale et insomnie. On dit toutefois que des versions plus récentes de ces médicaments entraînent moins d'effets secondaires.

Certains médecins prescrivent aussi des antidépresseurs aux personnes souffrant du SII avec des douleurs chroniques, mais c'est bien loin d'être clair comment ces médicaments peuvent agir efficacement. Même lorsque les antidépresseurs semblent soulager la douleur, les médecins ne savent pas vraiment pourquoi. Est-ce dû aux propriétés antidépressives du médicament ? Ou celui-ci aide-t-il à prévenir les spasmes musculaires dans les parois de l'intestin ? Ou a-t-il un effet direct sur la perception de la douleur ? À l'heure actuelle, personne ne connaît la réponse.

Et bien sûr, comme pour les autres médicaments utilisés dans les cas de SII, les antidépresseurs ne règlent pas le problème sous-jacent. Qu'arrive-t-il lorsqu'un malade cesse d'en prendre et que les symptômes réapparaissent ?

Lorsque les symptômes du SII s'accompagnent d'anxiété et de crises de panique, certains médecins prescrivent des tranquillisants sur de courtes périodes, ce sont des *anxiolytiques* (telle la *benzodiazépine*). Ces produits peuvent aider dans les cas où un événement traumatisant a sérieusement aggravé les symptômes d'un patient, mais il est préférable de les éviter. Ils peuvent causer de l'accoutumance si on les prend pendant un certain temps, et le fait d'arrêter d'en prendre peut déclencher des crises d'anxiété et de panique plus graves encore, sans compter un risque d'interaction avec d'autres médicaments prescrits.

De toute évidence, l'un des principaux problèmes dans les traitements médicamenteux du SII, c'est le risque bien réel de soulager une série de symptômes, pour s'apercevoir après coup que cela contribue à en aggraver d'autres. Donc, à moins que vous ayez des symptômes particulièrement aigus et insoutenables, il est préférable d'essayer d'éviter les médicaments en général.

CHAPITRE 6

Problèmes alimentaires et diètes spéciales

L'alternative alimentaire aux médicaments pour le SII

Dans le chapitre 3, nous avons examiné les raisons qui font qu'une intolérance à certains aliments peut jouer un rôle important dans le SII. Nous vous montrerons ici comment découvrir sans danger si vos symptômes peuvent être reliés à l'alimentation en ce sens.

Nous avons placé ce court chapitre entre celui sur les traitements traditionnels et celui sur les traitements naturels, parce que l'approche associée aux intolérances alimentaires chevauche les deux. Il s'agit d'une « thérapie » naturelle, en ceci que l'on tente de modifier le cours de la maladie en se servant d'aliments plutôt que de médicaments. D'un autre côté, il s'agit d'une approche médicale traditionnelle, car il y a maintenant un petit nombre (qui s'accroît sans cesse) de médecins qui la mettent en pratique.

Nous avons de plus en plus de preuves qu'en s'attaquant aux intolérances alimentaires, de nombreux malades du SII bénéficient d'un soulagement à long terme. Le spécialiste John Hunter et ses collègues de Cambridge ont examiné 173 personnes souffrant du SII, qu'ils avaient fini de traiter de 2 à 39 mois auparavant. Parmi ces personnes, 165 ont affirmé profiter encore des bienfaits de leur nouveau régime alimentaire, et parmi celles traitées de 22 à 39 mois auparavant, 53 sur 61 se portaient encore bien.

Prudence avec les régimes

Le gastroentérologue John Hunter, un pionnier dans la recherche médicale sur les intolérances alimentaires, croit que la seule manière sécuritaire de s'attaquer aux intolérances alimentaires dans le SII est sous la supervision d'un spécialiste professionnel. Il dit qu'un nombre croissant de malades, insatisfaits face à l'incrédulité générale de la communauté scientifique, s'adressent maintenant à des praticiens non qualifiés au sujet de leur problème.

Le Dr Hunter nous met en garde contre ce genre de praticiens qui utilisent des techniques comme les *tests cytotoxiques*, les *analyses de cheveux* et les *machines Vega*, toutes jugées peu fiables pour découvrir quels aliments sont en cause. Il affirme qu'il en résulte un nombre croissant de gens affectés par le SII qui se présentent aux cliniques externes des hôpitaux malades et souffrant de malnutrition, après avoir suivi des régimes déficients du point de vue nutritif.

Régimes d'exclusion ou d'élimination

La seule manière de vérifier si une intolérance à certains aliments peut causer quelques-uns ou tous vos symptômes, c'est de faire un régime — habituellement pendant environ deux semaines — qui exclut les substances les plus susceptibles de poser problème, puis de réintroduire les produits bannis, un à la fois, pour voir comment réagira votre corps. C'est ce que l'on appelle un régime d'exclusion ou d'élimination.

Le problème avec ce genre de régime, c'est que plusieurs des aliments auxquels les personnes souffrant du SII sont intolérantes sont à la base de notre alimentation occidentale, comme les céréales (incluant blé, maïs, avoine et seigle), les produits laitiers (incluant lait et fromages), les œufs, les fruits à écale, les levures et les agrumes. Alors si vous n'êtes pas très prudent, le fait d'exclure trop de ces aliments de votre alimentation peut mener à des carences.

Sur 182 patients traités par une équipe de l'hôpital Addenbrooke's de Cambridge, 18 présentaient une carence en calcium et 7 en fer. Trois avaient une carence en vitamines A et D et deux en vitamine C. L'alimentation de l'un d'eux était en fait si restrictive, qu'elle accusait une carence en protéines. Un nutritionniste ou un diététiste professionnel peut vous indiquer des façons de compenser pour ces carences.

De même, si les tests pour détecter les intolérances alimentaires sont bien faits, ils représentent un travail laborieux qui exige énormément de discipline personnelle. Cela peut prendre quatre mois de tests pour établir un régime, avec la possibilité de répéter des réactions physiques désagréables à mesure que l'on identifie les aliments qui posent problème.

Retenez bien ceci : si vous décidez d'emprunter le chemin vers l'identification de vos intolérances alimentaires, parfait. Les preuves sont faites que cela peut avoir des avantages à long terme pour certaines personnes. Mais assurez-vous de le faire sous la supervision d'un praticien qualifié et préparez-vous à y consacrer toutes vos énergies.

Les études blâment l'alimentation

Dans une grande étude scientifique sur les intolérances alimentaires, 189 personnes souffrant du SII furent traitées pendant trois semaines avec un régime d'exclusion : 91, soit 48,2 pour cent, ont trouvé que leurs symptômes s'étaient améliorés, et 73 ont réussi à identifier au moins un aliment auquel elles étaient intolérantes. Environ 14 mois plus tard, 72 de ces personnes se portaient encore mieux avec un régime modifié. On avait identifié une grande variété d'aliments coupables, quoique les plus courants étaient les produits laitiers et les céréales. La majorité des malades identifièrent entre deux et cinq aliments coupables.

CHAPITRE 7

Les traitements naturels et le SII

Une introduction aux « médecines douces »

Pour certaines personnes souffrant du SII, un simple changement de régime et de style de vie suffira pour chasser leurs symptômes, mais nombreuses sont celles qui ont besoin d'une aide un peu plus poussée. Alors à qui s'adresser ? À l'heure actuelle, vous en avez probablement assez de l'approche traditionnelle qui consiste à mettre un pansement sur le bobo et vous avez envie d'essayer autre chose.

Eh bien, vous êtes entre bonnes mains. Chaque année en Occident, des milliers de gens se tournent vers les traitements naturels pour à peu près toutes les maladies qui existent sur terre. En fait, le choix des approches et des praticiens s'accroît à un tel rythme, qu'il y en a presque trop et que dans certains cas, ce seul fait peut en décourager plus d'un. Alors par où commencer ?

La première chose qu'il faut savoir si vous espérez trouver à la fois la fraîcheur et la sécurité d'une approche naturelle prodiguée par un praticien de la médecine traditionnelle, c'est que la chose est à peu près impossible par les temps qui courent.

De plus en plus de médecins se convertissent à un type de thérapie naturelle pour ensuite l'incorporer à leur pratique traditionnelle. Le Dr Peter Fisher, consultant de l'hôpital d'homéopathie Royal London, qui a terminé des études en médecine complémentaire en Europe en 1994, dit qu'au cours des 20 dernières années, ce qu'il appelle les « cinq grandes », l'acupuncture, la phytothérapie, l'homéopathie, l'ostéopathie et la chiropratique, sont devenues si courantes, qu'elles sont pratiquement orthodoxes.

Ceci est encore plus vrai en Amérique et en Europe, en dehors de la Grande-Bretagne. En France, plus de 80 pour cent des médicaments à base de plantes sont prescrits par des médecins, alors qu'en Belgique, 84 pour cent de l'homéopathie et 74 pour cent de l'acupuncture sont pratiqués par des médecins de famille.

Mais si votre médecin de famille ne fait pas partie des convertis, les prochains chapitres sauront vous éclairer sur les approches disponibles, sur qui les pratique et sur ce qu'elles peuvent vous apporter si vous souffrez du SII.

Qu'est-ce qu'un traitement naturel ?

Les traitements naturels sont fondés sur la croyance que le corps possède une capacité innée à se guérir lui-même, et que l'objectif fondamental de tout traitement est de soutenir et d'accroître cette capacité.

En voici un exemple très simple : c'est l'hiver et vous attrapez une infection pulmonaire qui court dans les bureaux, les écoles et ailleurs. Vous allez voir votre médecin qui vous prescrit des antibiotiques pour tuer la bactérie qui cause l'infection.

De son côté, un thérapeute naturiste examinerait le problème par l'autre bout de la lorgnette, et vous prescrirait un traitement pour stimuler les défenses naturelles de votre corps, pour lui permettre de combattre lui-même l'envahisseur.

Dans l'approche traditionnelle, le médecin se contente de savoir que les antibiotiques ont réussi à tuer la bactérie et que votre corps se rétablit. Il a réglé votre problème physique et son travail s'arrête là.

Mais pour le thérapeute naturiste, ce n'est pas si simple. Il veut savoir ce qui a fait que vous étiez si vulnérable à la bactérie à ce moment-là. Il veut connaître votre style de vie, votre état de santé général et votre état d'esprit. Pour lui, toute la personne, plutôt que simplement son corps, est importante.

Un nombre étonnant d'importants scientifiques reconnaissent également la valeur de cette approche. Même Louis Pasteur, le père de la bactériologie moderne, prononça ces paroles immortelles sur son lit de mort : « La bactérie n'est rien, le terrain est tout. »

Ainsi, le thérapeute naturiste va-t-il vous prescrire une série de traitements ou d'actions qui vous renforceront, pour vous aider à ne pas retomber malade par la suite. Car les thérapeutes naturistes croient que le corps humain n'est pas simplement une machine ; ils le voient comme un ensemble complexe de corps, d'esprit et d'émotions, ou d'âme si vous préférez, chacun ou tous ces aspects pouvant causer ou contribuer aux problèmes de santé.

Cette approche holistique fut magnifiquement résumée par Platon, éminent philosophe de la Grèce antique, qui affirmait : « On ne peut espérer guérir une partie sans traiter le tout. Il ne faut pas essayer de guérir le corps sans soigner l'âme, et si vous voulez que la tête et le corps soient sains, il faut commencer par soigner l'esprit, car c'est la grande erreur que commettent de nos jours les physiciens dans le traitement du corps humain, lorsqu'ils séparent d'abord l'âme du corps. »

Sa mise en garde trouve un écho au fil des siècles, et il est ironique que 2500 ans plus tard, et malgré tous les progrès de la médecine moderne, on puisse encore adresser l'accusation de Platon aux médecins d'aujourd'hui.

C'est William Blake, le célèbre poète, peintre, graveur et mystique anglais, dont les travaux influencèrent la fin du XVIIIe siècle et le début du XIXe, qui donne peut-être la description la plus juste du principe holistique dans son *Prophéties de l'innocence* :

Voir un monde dans un grain de sable
Et un paradis dans une fleur sauvage
Tenir l'infini dans le creux de la main
Et l'éternité dans une heure.

La vision de Blake, comme celle de nombreux thérapeutes modernes, était que le tout est plus grand que la somme des parties, et que les parties contiennent le tout.

Il y a d'autres principes importants sous-jacents aux thérapies naturelles, et nous les résumons ainsi :

• La vraie guérison peut s'installer seulement après avoir identifié la racine du problème.

• La santé est un équilibre entre le physique, le mental, l'émotionnel et le spirituel. Cet équilibre trouve son expression dans la médecine chinoise, par exemple, dans les principes du *yin* et du *yang*.
• Il existe une puissante force de guérison naturelle dans l'univers ; les Chinois l'appellent *qi* ou *chi,* les Japonais la nomment *ki*, et les Indiens *prana*. Chacun peut se servir de cette force, et c'est le rôle du thérapeute naturiste de l'activer pour aider les patients à l'activer en eux-mêmes.
• Les gens guérissent plus rapidement s'ils prennent la responsabilité de leur propre santé, et s'ils jouent un rôle actif dans le processus thérapeutique, contrairement au rôle traditionnel « passif » réservé aux malades dans la médecine conventionnelle.
• Les facteurs environnementaux et sociaux ont une très forte influence sur la santé des populations, et peuvent être aussi importants que leurs causes physiques et psychologiques.
• Chaque personne est un individu unique, ce qui fait qu'on ne peut pas traiter deux personnes de la même façon.

Bon, pensez-vous, tout cela semble tout à fait sensé. Alors pourquoi n'y a-t-il pas plus de médecins traditionnels qui souscrivent à ces principes ?

Il y a beaucoup de bons médecins traditionnels qui établissent la même relation de confiance avec leurs patients que les thérapeutes naturistes, et ces praticiens souscrivent à plusieurs des principes énumérés ci-dessus. Mais pour la majorité, beaucoup de traitements naturels demeurent controversés, parce qu'il découlent d'une façon de penser qui ne cadre pas avec la compréhension scientifique conventionnelle.

La réflexologie, par exemple, consiste à masser des parties du pied pour stimuler la guérison d'organes précis, ailleurs dans le corps. Des milliers de patients satisfaits attestent que cela les a aidés, mais essayez donc d'expliquer cela à un anatomiste ! Le fait qu'un traitement puisse donner des résultats tout en défiant les lois de la science, telles qu'on les comprend à l'heure actuelle, est quelque chose que bien des scientifiques conventionnels sont incapables d'accepter.

Quels sont les avantages des traitements naturels ?

Le plus grand avantage est sans contredit la relation qui s'établit entre le patient et son thérapeute. Le seul fait de consulter un bon praticien peut être bénéfique en soi. Comme nous l'avons mentionné plus tôt, certains médecins traditionnels établissent un bon contact avec leurs patients, mais malheureusement, ils sont encore trop peu. Cette relation est souvent la clé pour découvrir les problèmes sous-jacents qui sont à la racine de la mauvaise santé.

Un autre avantage, c'est que les traitements alternatifs, contrairement aux médicaments et à la plupart des techniques conventionnelles, ne sont pas envahissants en général et qu'ils sont exempts d'effets secondaires. Cet aspect est important si vous souffrez de l'une des nombreuses maladies chroniques ou qui tendent à se prolonger indûment, comme le SII.

Les médicaments traditionnels peuvent être efficaces pour soulager les symptômes apparents, mais ils peuvent entraîner des effets secondaires et d'autres problèmes. De plus, si vous les prenez pendant trop longtemps, votre corps peut apprendre à « tolérer » certains médicaments, et si cela se produit, vous pourriez devoir augmenter les doses prescrites encore et encore pour obtenir le même effet, ce qui peut mener à des problèmes de toxicité ; il peut en effet arriver que la quantité de médicament nécessaire pour être efficace suffise à vous empoisonner.

La plupart des traitements naturels sont très agréables, surtout ceux incluant le toucher ou le massage. Bien des gens n'ayant aucun problème de santé se font masser régulièrement pour le seul plaisir de ressentir le bien-être que procure ce genre de thérapie.

Alors que les médicaments de la médecine traditionnelle entraînent en général des effets secondaires négatifs, les thérapies naturelles, pour leur part, ont des effets secondaires positifs. Beaucoup de gens qui font l'essai d'un traitement naturel pour un problème physique précis se disent plus détendus et abordent leur vie de manière plus positive, et leur image de soi en est grandement améliorée.

Comment les traitements naturels soignent le SII

Bien que tous les traitements naturels partagent les mêmes principes holistiques fondamentaux mentionnés plus haut, en pratique, on peut les diviser en deux catégories distinctes, les *thérapies psychologiques* et les *thérapies physiques*. Les premières visent à traiter vos problèmes mentaux et émotionnels, alors que les secondes se concentrent sur votre état physique.

Par exemple, l'hypnothérapie et la méditation visent clairement votre état psychologique, alors que les traitements de manipulation, telles l'ostéopathie et la chiropratique, sont des thérapies manuelles physiques pour le corps.

Bien sûr, ces traitements se chevauchent en grande partie. Le fait d'améliorer votre état mental contribuera à améliorer votre santé générale, soit grâce aux effets directs de la relaxation, ou parce que vous devenez plus positif et changez des aspects de votre style de vie, ainsi que des attitudes qui pouvaient contribuer à affecter votre santé.

Inversement, le fait d'améliorer votre santé physique aura le même effet positif sur votre état mental et émotionnel, car comme nous l'avons déjà vu, les deux sont inséparables.

Et il y a des traitements qui consistent à traiter à la fois le corps et l'esprit. Des techniques comme le yoga et le *t'ai chi* sont d'excellents exercices pour tout le corps, mais elles comportent aussi de puissantes composantes psychologiques.

Cette approche globale rend les thérapies naturelles idéales pour le SII, car il s'agit d'une maladie dont les causes sont à la fois physiques et psychologiques. Par exemple, un traitement psychologique comme l'hypnothérapie ou le biofeedback peut aider les personnes malades à comprendre leur problème et peut-être à l'envisager de façon plus positive. Il peut aller à la racine du problème ou simplement réduire les symptômes et aider les malades à faire plus facilement face à ceux qui restent.

Pendant ce temps, des approches physiques, par exemple l'homéopathie ou l'acupuncture, peuvent soulager les symptômes et stimuler l'intestin à se guérir lui-même et à retrouver son fonctionnement normal.

Traitements naturels du SII

Thérapies psychologiques
- Hypnothérapie
- Biofeedback
- Méditation
- Thérapie autogène
- Visualisation créatrice
- Counseling et psycothérapie
- Art-thérapie

Thérapies physiques
- Homéopathie
- Phytothérapie
- Médecine chinoise traditionnelle
- Acupuncture
- Réflexologie
- Massage
- Aromathérapie
- Yoga
- *T'ai chi*
- Irrigation du côlon

CHAPITRE 8

Soigner votre tête et vos émotions

Traitements psychologiques pour le SII

Dans les précédents chapitres, nous avons vu comment la tête et les émotions, qui pour bien des gens, englobent le concept d'esprit, sont inséparables du corps, et que par conséquent, ce qui affecte l'un affectera automatiquement l'autre.

Il s'ensuit que, pour beaucoup de personnes souffrant du SII, la thérapie pour soigner leur tête et leurs émotions aura un profond effet sur leurs symptômes physiques.

La question de savoir si de tels traitements « remédient » vraiment au problème physique — notre subconscient influence la production de produits chimiques dans le corps, lesquels contrôlent les nerfs qui régulent les muscles des intestins — ou s'ils soulagent les symptômes en permettant au malade de les replacer dans leur contexte, fait l'objet de bien des discussions, mais en fin de compte, tout cela importe peu.

L'important, c'est que de nombreuses personnes, souffrant du SII depuis des lustres, trouvent que ces traitements soulagent leurs symptômes et que grâce à eux, elles se sentent sûres d'elles et sentent qu'elles contrôlent leur corps et leur environnement, souvent pour la première fois de leur vie.

Hypnothérapie

Si vous vous attendez à voir un hypnothérapeute portant un nœud papillon et des verres épais, utilisant une montre en or en guise de pendule, vous allez être déçu. La plupart des praticiens qui se servent de l'hypnothérapie sont des personnes tout ce qu'il y a de plus ordinaires ; un bon nombre sont des médecins de l'école traditionnelle, et la plupart portent un bracelet-montre. Beaucoup d'entre eux travaillent dans un bureau ou une clinique des plus banals.

Il faut surtout savoir que l'hypnothérapie pour soigner le SII consiste à mettre des choses dans votre subconscient plutôt que d'en faire sortir. Ce genre de thérapie ne doit comporter aucune forme de « régression ». Le travail du thérapeute consiste à instiller dans votre tête des pensées qui vous redonnent confiance, et non à aller fouiller dans les secrets de votre enfance pour y déterrer les racines du mal.

Enfin, une hypnothérapie correcte ne vous forcera jamais à faire quoi que ce soit contre votre volonté. Vous ne tomberez pas sous l'influence « d'un pouvoir occulte ». Les gens qui s'y prêtent sont conscients de tout ce qui se passe autour d'eux et sont capables de se « réveiller » simplement en ouvrant les yeux.

Les séances durent habituellement de 45 à 60 minutes. Le patient s'assoit, souvent sur une chaise droite, et ferme les yeux pendant que le thérapeute parle d'une voix neutre et douce. Graduellement, le patient réussit à se détendre et finit par glisser dans un état où son esprit s'ouvre aux suggestions. Le thérapeute peut alors commencer à convaincre le patient qu'il est confiant, capable et physiquement en santé.

La plupart des traitements d'hypnothérapie exigent environ 12 séances hebdomadaires et les patients reçoivent une audiocassette visant à les aider à relaxer et à retrouver confiance en eux, qu'ils pourront écouter à la maison entre les séances.

Comme c'est le cas pour les autres traitements naturels, les hypnothérapeutes hésitent à utiliser le mot « cure ». Leur but est de réduire le nombre de crises aiguës de leurs patients et de les aider à y faire face lorsqu'elles se présentent.

Quoi qu'il en soit, les résultats de l'hypnothérapie, celui, de tous les traitements naturels, faisant l'objet des études les plus approfondies, peuvent être spectaculaires. Beaucoup de centres rapportent un pourcentage de réussite de plus de 80 pour cent, et de nombreuses personnes qui ont été confinées à la maison à cause des crises aiguës du SII ont pu retourner au travail et à une vie normale après le traitement.

Une mise en garde toutefois : l'hypnothérapie est le seul traitement, dans cette partie du livre, pour lequel il est préférable de rechercher les services d'un médecin qualifié. Cela ne signifie pas nécessairement que les praticiens non médecins sont incompétents. Mais en dehors de la profession médicale, l'hypnothérapie est peu contrôlée et les niveaux de qualification et d'expertise varient considérablement.

Étude de cas

Helen Waters, 29 ans, titulaire au primaire dans la ville de Manchester, souffrant du SII avec constipation depuis l'âge de 12 ans, essaya l'hypnothérapie en « dernier recours », deux ans après être devenue si malade qu'elle avait dû s'absenter de son travail.

Elle dit : « J'étais très nerveuse au début. Ça me rassurait que la clinique fasse partie de l'hôpital ; je ne suis pas certaine que j'y serais allée s'il s'était agi d'un hypnothérapeute pratiquant en privé.

« Ils m'ont d'abord fait un examen médical et ont jugé que oui, j'avais bien le SII. Ils m'ont alors assuré que ce n'était pas tout dans ma tête, que c'était un problème médical pouvant être aggravé par le stress. Cela m'a enlevé un poids. C'était une thérapie en soi.

« Pendant les séances d'hypnothérapie, je croyais qu'ils allaient faire sortir des choses de mon subconscient, mais ils y ont plutôt mis des choses. Cela m'a enseigné comment contrôler mon intestin et faire cesser les spasmes. Cela m'a aussi montré comment écouter mon corps et capter les signaux, si petits soient-ils, que mon intestin voulait se vider. »

Helen assista à 12 séances et utilisa une cassette pour stimuler sa confiance en elle-même à la maison.

Elle dit encore : « L'hypnothérapie a changé ma vie. Je suis à peu près guérie maintenant, et je n'ai même pas écouté la cassette depuis huit mois. L'inconfort et la panique ont disparu. Je ne sais pas si je vais plus à la selle qu'avant, mais je sais que je n'y pense pas du tout. Ma vie est tout à fait normale. J'ai trouvé un nouvel emploi et je m'apprête à déménager. Même le stress que ça représente ne m'a pas affectée le moins du monde. »

Recherche

De récentes études scientifiques ont démontré que l'hypnothérapie peut traiter le SII efficacement.

- Trente personnes souffrant d'un SII grave chronique furent choisies au hasard pour recevoir une hypnothérapie, une psychothérapie ou rien du tout. Les patients en psychothérapie accusèrent une petite amélioration, quoique significative, de leurs douleurs abdominales, de la dilatation et de leur bien-être général, mais pas du fonctionnement de leur intestin. Le groupe en hypnothérapie montra une amélioration spectaculaire dans tous les domaines, incluant l'élimination des selles. Lorsque celui-ci fut revu trois mois plus tard, l'amélioration notée était toujours présente.
- On traita 33 personnes souffrant d'un SII chronique avec des séances d'hypnothérapie de 40 minutes pendant 7 semaines. Vingt notèrent une amélioration, dont onze virent à peu près tous leurs symptômes disparaître. Trois mois plus tard, elles se portaient encore bien. Il est intéressant de noter que cette étude démontra aussi que l'hypnothérapie en groupe allant jusqu'à huit personnes était aussi efficace que les traitements individuels.

Biofeedback

Au premier abord, le biofeedback peut ne pas ressembler du tout à un traitement naturel, parce qu'il implique une technologie de pointe élaborée. Mais toute cette technologie de pointe est simplement une autre façon de vous apprendre à écouter, et finalement, à contrôler votre corps, un thème récurrent dans ce livre.

Lorsqu'elle est reliée à un équipement de biofeedback, la personne reçoit des renseignements concernant ses fonctions corporelles. Par exemple, son rythme cardiaque ou les modélisations de ses ondes cérébrales peuvent être surveillés et inscrits sur un écran. En faisant un effort conscient pour changer ce qui apparaît à l'écran, la personne apprend à modifier cela dans son corps, et après un certain temps, elle peut y arriver sans être rattachée à la machine.

De nombreux malades du SII trouvent que le biofeedback les aide peu à peu à avoir des selles régulières et à réduire le nombre de spasmes violents et douloureux.

Méditation

Sans contredit le plus simple de tous les traitements naturels. Il n'exige pas nécessairement un thérapeute hautement qualifié, quoique les débutants ont généralement besoin d'assistance, et ne demande pas non plus l'apport d'une technologie avancée. Mais il requiert de la concentration mentale et de la persévérance, et pour les débutants, au moins quelques notions difficiles à maîtriser.

La méditation est beaucoup plus un moyen de s'aider soi-même que les autres thérapies. Vous pouvez apprendre à méditer dans une salle de cours avec d'autres personnes, mais il s'agit essentiellement d'une chose que vous faites par vous-même à la maison, sans thérapeute ni professeur.

Depuis la nuit des temps, on se sert de la méditation sous de nombreuses formes pour apaiser l'esprit. Toutes les grandes religions ont de longues traditions en matière de méditation, dont les athées, autant que les petits saints, ont pu bénéficier.

Avec la pratique, la méditation vous rend apte à prendre le contrôle de votre tête et de vos émotions, en vous permettant de « décrocher » des éternelles peurs et inquiétudes qui nous assaillent tous. Ce contrôle mène à une plus grande stabilité mentale et à des sentiments de paix plutôt que de panique. Le fait de pouvoir ainsi contrôler votre conscience vous permet de diriger votre énergie de manière plus productive. Les gens qui méditent régulièrement disent avoir besoin de moins de sommeil, avoir plus d'énergie, être moins anxieux et se sentir « plus vivants » dans l'ensemble.

Des chercheurs ont établi que ces effets bénéfiques sur le mental et les émotions se reflètent dans tout le corps. Les gens qui méditent montrent les mêmes changements psychologiques que ceux qui se produisent dans les moments de profonde relaxation : réduction du rythme cardiaque et de la tension artérielle, ralentissement de la respiration et accroissement de la circulation sanguine aux extrémités du corps, tels les doigts et les orteils. Il y a aussi des changements dans l'activité électrique du cerveau et une chute du taux des hormones de stress dans le sang.

Ce que les débutants ont du mal à comprendre, c'est que l'on puisse arriver à un tel contrôle en ne s'y appliquant *pas*, plutôt qu'en s'y appliquant.

C'est une notion compliquée, particulièrement pour les esprits occidentaux entraînés à croire que la seule manière de maîtriser une chose, c'est d'essayer toujours plus fort.

Les gens, lorsqu'ils méditent, ne sont ni au repos ni endormis. Ils sont éveillés et conscients. Le but est de libérer la tête de tout contrôle conscient, de la vider de tout effort pour opérer de façon neutre ; le but est simplement « d'être », plutôt que de penser à quelque chose. Pour profiter des bienfaits de la méditation, vous devez apprendre à « lâcher prise » et permettre à ce qu'il y a de plus paisible, de plus profond et serein en vous-même de prendre le dessus.

On pratique normalement la méditation assis, la colonne vertébrale à la verticale, et en se concentrant sur sa respiration ou sur un *mantra*, un mot ou une phrase spéciaux, que l'on répète encore et encore.

Comme nous l'avons mentionné plus tôt, vous pouvez apprendre à méditer dans un cours ou, si vous préférez, à la maison, car on trouve de nombreux enregistrements et de bons livres pour les débutants. Renseignez-vous auprès d'une association de médecine holistique, ou encore auprès de votre disquaire ou de votre libraire.

Thérapie autogène

Certaines personnes souffrant du SII affirment que ce type de méditation est particulièrement efficace. La thérapie autogène fut élaborée au Canada, et allie méditation et autosuggestion avec cette phrase qui constitue un *mantra* bien connu : « Chaque jour, à tous les points de vue, je vais de mieux en mieux. » On y enseigne six exercices mentaux précis pour encourager la relaxation et la créativité. Contrairement à bien des formes de méditation, il faut que la thérapie autogène vous soit enseignée par un thérapeute qualifié.

Visualisation créatrice

Il s'agit d'une autre variante de la méditation. Dans cette thérapie, on introduit des idées dans la méditation. Ce peuvent être des images générales, tel un beau paysage champêtre, visant à inspirer un état de détente, ou encore des réflexions précises sur un problème de santé particulier. Par exemple, on encouragera un malade du SII, dont le principal symptôme est la constipation, à visualiser un barrage retenant des millions de gallons d'eau. Dans le scénario imaginé, le barrage se mettra à se fissurer de toutes parts, libérant l'eau contenue.

Counseling et psychothérapie

Nous savons tous comment on peut se sentir soulagé simplement en parlant de nos problèmes avec un ami avisé et sincère. À la base, c'est exactement ce en quoi consiste le counseling.

Il y a cependant des occasions où bien des gens ont plus besoin d'une écoute professionnelle que d'une oreille amicale, serait-ce celle de leur meilleur ami. Après tout, les amis sont parfois trop près et trop soucieux de ne pas blesser, et un consultant professionnel aura une expérience plus vaste des problèmes et des solutions.

Le counseling peut être simple ou complexe, selon ce que vous désirez. Certains malades du SII trouvent qu'il offre un soutien émotionnel à court terme, dans des moments de grand stress ou d'anxiété, au plus fort de leurs symptômes. D'autres choisissent le counseling — dans sa forme la plus complexe connue sous le nom de *psychothérapie* — pour aller plus en profondeur et explorer l'inconscient et les sentiments. (Il est utile de rappeler ici que la psychothérapie n'a rien à voir avec la psychiatrie, une discipline médicale orthodoxe qui se sert souvent de médicaments et de la chirurgie pour traiter les problèmes mentaux.)

Il existe de nombreux types de psychothérapie. Freud a fondé la *psychanalyse*, qui a donné naissance à l'image médiatisée du counseling, perçu comme étant l'affaire de gens ayant un accent d'Europe de l'Est et portant un nœud papillon. Mais de nos jours, nous avons accès à bien d'autres écoles de psychothérapie.

Parmi celles-ci, mentionnons : la *thérapie Gestalt*, qui vise à travailler sur les pensées et les sentiments non admis, par le biais des jeux de rôles ; la *thérapie rogérienne*, qui permet au client de prendre les choses en mains ; *l'analyse transactionnelle*, qui étudie les relations d'une personne avec les autres ; et même la *thérapie par le rire*, dont on a prouvé, comme on pouvait s'y attendre, qu'elle est une excellente façon de se débarrasser des tensions et des pensées agressives.

Dans sa plus simple expression, toutefois, le counseling est maintenant une thérapie bien organisée et répandue, et beaucoup de centres de santé, cliniques et hôpitaux ont des conseillers professionnels parmi leur personnel. Aussi ne la compte-t-on plus guère parmi les thérapies non conventionnelles ; mais en tant que traitement naturel, le counseling est sans danger, doux et efficace.

L'important, c'est que c'est à vous de décider jusqu'où vous voulez pousser le counseling et ce que vous désirez réaliser grâce à cette approche. Rappelez-vous que le but visé est de vous montrer comment devenir plus indépendant en contrôlant mieux votre vie, et non de vous fournir une béquille pour vous rendre encore plus dépendant.

Pour des renseignements sur la façon de trouver un thérapeute fiable, voir chapitre 10.

Art-thérapie

Certains malades du SII ont bénéficié de ce genre de thérapie, dont le but est de traduire les émotions en couleurs, en formes ou en gestes. Vous pouvez choisir le moyen qui vous plaît. Vous pouvez vous débarrasser de vos pensées de désespoir en lançant violemment de la peinture sur un grand morceau de papier ou en pétrissant de la glaise pour lui donner toutes sortes de formes, ou encore apporter des sensations de calme et de tranquillité en dessinant ou en peignant doucement.

CHAPITRE 9

Soigner votre corps

Traitements physiques du SII

Ce chapitre parle des thérapies dont l'objectif est de libérer ou d'augmenter le pouvoir naturel de votre corps à se guérir lui-même. Les traitements décrits ci-dessous sont tous reconnus pour soigner efficacement les malades du SII.

Homéopathie

Voici peut-être le mieux connu de tous les traitements naturels, sans doute pour avoir bénéficié de beaucoup de publicité de la part de la famille royale d'Angleterre.

L'homéopathie fut fondée par le Dr Samuel Hahnemann, un physicien allemand du XVIIIe siècle. Il avait remarqué qu'un remède à base de plantes contre la malaria, l'écorce de quinquina, causait en fait les symptômes de la maladie, tels la fièvre et les maux de tête, chez les gens en santé.

Le docteur Hahnemann en conclut que les symptômes étaient la façon dont le corps combattait la maladie et que les médicaments qui produisaient les mêmes symptômes qu'une maladie pourraient contribuer au rétablissement. On découvrit plus tard que l'écorce de quinquina contenait de la quinine, le premier médicament utilisé contre la malaria.

Après l'avoir essayé sur lui-même, sa famille et ses amis, en utilisant des dilutions toujours plus faibles de divers remèdes, il nota que plus le remède était dilué, plus il devenait puissant. Il venait en fait de découvrir l'ancien principe : soigner le mal par le mal, déjà formulé par Hippocrate, premier physicien grec du ve siècle av. J.-C. et père de la médecine moderne.

Comment sont fabriqués les remèdes homéopathiques

Les remèdes homéopathiques sont faits à partir de substances végétales, minérales et animales. On fait d'abord tremper la substance dans l'alcool pour en extraire les ingrédients vivants. La solution ainsi obtenue, appelée teinture mère, est progressivement diluée à plusieurs reprises au dixième ou au centième.

Après chaque dilution, on secoue vigoureusement la solution, ce qui sert à « potentialiser » le mélange, augmentant son pouvoir thérapeutique grâce au transfert d'énergie. C'est de cette manière que les remèdes homéopathiques sont censés devenir plus puissants avec chaque dilution.

La solution finale contient une très faible concentration de la substance d'origine, mais un taux d'énergie très élevé. On la laisse ensuite tomber par gouttes sur des comprimés faits d'une substance neutre, qui l'absorbent. On la donne aussi parfois en gouttes ou même en injections.

Le docteur Hahnemann a élaboré sa méthode en un nouveau système de médecine « holiste » pouvant servir de solution de rechange à la pratique médicale traditionnelle de son époque, qui incluait saignées et purgations. Ces pratiques, croyait-il, étaient trop violentes, rendant souvent le patient plus faible encore que la maladie elle-même ne le faisait.

De nos jours, l'homéopathie est toujours fidèle aux principes de base du Dr Hahnemann. Les homéopathes croient que le corps possède une capacité naturelle d'autoguérison et que les remèdes homéopathiques stimulent cette capacité. Par conséquent, ils se concentrent sur le traitement de la personne plutôt que de la maladie. Ils établissent leurs prescriptions en fonction des caractéristiques individuelles de leurs patients, ce qui fait que deux personnes présentant exactement le même problème de santé pourraient être soignées de façon fort différente par un homéopathe.

Étude de cas 1

Peter, un directeur d'entreprise de Londres de 51 ans, se tourna vers l'homéopathie après 8 ans de traitements médicaux traditionnels du SII.

Il dit : « J'étais totalement confus. J'avais des douleurs, des ballonnements, j'étais terriblement constipé, j'avais des hémorroïdes, et tout ce que je mangeais provoquait une indigestion. Je m'en voulais, j'en voulais à mon intestin et à ma vie. »

Deux mois plus tard, Peter avait terminé ses traitements d'homéopathie et sa vie avait changé du tout au tout. « Mon intestin est parfait, constipation et indigestion sont choses du passé. Je dors bien et j'ai des réserves incroyables d'énergie. »

Étude de cas 2

John, un comptable de 37 ans, commença à avoir des symptômes du SII il y a trois ans. Ses selles étaient devenues molles et liquides, il souffrait de flatulences et de terribles gargouillements, et ses symptômes étaient aggravés par le stress. Il avait essayé les traitements traditionnels sans grand succès, et finalement, sur la recommandation d'un ami, il avait consulté un homéopathe.

« C'était incroyable, dit John. Après plusieurs semaines, j'ai noté une amélioration d'environ 90 pour cent. Mes selles étaient presque normales et je me sentais mieux que jamais. »

Il revit son homéopathe une deuxième fois et en l'espace de quelques semaines, il s'était totalement rétabli et il est toujours en santé.

La prescription dépend du « type constitutionnel » du patient, et au cours de la première consultation, un homéopathe consacrera beaucoup de temps à établir ce type. Pour y arriver, il devra dresser un portrait complet de l'état physique, mental et émotionnel du patient, ce qu'il aime et n'aime pas, ses espoirs et ses peurs, sa santé générale, ses habitudes de sommeil et ainsi de suite.

Un traitement homéopathique exige plusieurs consultations réparties sur plusieurs mois, et il n'est pas rare que les remèdes doivent être changés en cours de traitement. Cela peut prendre quelques essais pour trouver le remède qui vous convient.

Une chose dont vous devez être avisé, c'est que vos symptômes peuvent empirer lorsque vous commencez à prendre un remède homéopathique ; on appelle ce phénomène « crise curative ». C'est une réaction normale qui prouve que le traitement fonctionne.

Phytothérapie

C'est l'ancêtre de toutes les approches, autant traditionnelles que naturelles. À travers l'histoire, les sociétés ont découvert et exploité le pouvoir curatif des plantes. La phytothérapie est encore la forme de médecine la plus répandue dans le monde actuellement, plus de 80 pour cent de la population de la planète comptent sur les plantes pour se soigner.

Et nombreux sont les médicaments classiques dérivant des remèdes traditionnels à base de plantes. L'*aspirine*, à l'origine extraite de l'écorce du saule, en est un bon exemple. Le médicament pour le cœur nommé *digitale* et issu de la plante du même nom en est un autre.

Au cours des siècles, les herboristes ont élaboré des systèmes assez complexes de diagnostic et de traitement. Les plantes sont reconnues pour avoir des qualités particulières, entre autres l'amer, le froid, ou des propriétés stimulantes, et on les choisit en fonction des carences du patient. Ainsi, les maladies dues à une chaleur excessive sont traitées avec des plantes aux propriétés rafraîchissantes, alors que celles causées par la léthargie sont traitées avec des plantes stimulantes.

Les phytothérapeutes modernes n'adhèrent plus totalement à ces anciennes traditions et ils sont formés pour utiliser les plantes selon leurs actions chimiques et thérapeutiques. C'est toutefois le plus loin que les phytothérapeutes aillent dans leur approche conventionnelle. Ils n'appliquent certes pas le principe d'une maladie, une plante.

On dit que les plantes ont des affinités particulières avec certains organes ou systèmes corporels et sont utilisées pour « nourrir » ou rétablir la santé dans les parties du corps qui sont affaiblies. À mesure que le corps se renforce, son pouvoir pour combattre la maladie s'accroît. Les herboristes soutiennent qu'une fois l'équilibre et l'harmonie retrouvés, le patient recouvre la santé.

Tout comme l'homéopathe, l'herboriste voudra connaître dans le détail l'histoire de son patient, de manière à se faire un portrait complet de la personne, et le traitement de deux individus avec des problèmes de santé semblables ne sera pas nécessairement le même.

Les herboristes disent que leurs médicaments présentent moins de danger et sont plus doux que les médicaments traditionnels, parce qu'ils sont produits à partir de parties ou de toute la plante, feuilles, baies, racines, etc. Pour fabriquer les médicaments modernes, les compagnies pharmaceutiques identifient l'ingrédient actif de la plante contre la maladie, l'expriment et en font une production massive.

Cela donne des médicaments extrêmement puissants et efficaces. Toutefois, ces médicaments peuvent se révéler si puissants que certains sont toxiques pour le corps humain, ce qui explique pourquoi ils entraînent tant d'effets secondaires désagréables.

Les herboristes disent que cet ingrédient actif est seulement un parmi des centaines, et peut-être des milliers de composants et que les autres composants agissent en tant que « tampon » naturel pour contrer les effets secondaires. Les médicaments à base de plantes, ajoutent-ils, sont peut-être moins puissants que les médicaments traditionnels, mais ils présentent beaucoup moins de danger parce qu'ils sont fabriqués à partir de la plante entière.

Encore une fois, l'aspirine illustre bien ce principe. C'est un médicament efficace contre la douleur et un bon anti-inflammatoire, mais on en limite souvent l'usage parce qu'il irrite les parois de l'estomac et peut causer des saignements. L'écorce de saule, pour sa part, cause rarement ce genre de problèmes, et en fait, les herboristes s'en servent même parfois pour traiter les problèmes gastriques.

La plante *Ephedra sinica* est à la base de l'*éphédrine*, de la famille des substances connues sous le nom d'*alcaloïdes*. On s'en sert en médecine traditionnelle pour soigner l'asthme et la congestion nasale. Mais elle provoque une hausse de la tension artérielle. Cependant, la plante entière contient six autres alcaloïdes, dont l'un sert à prévenir l'hypertension artérielle.

On peut donc en déduire qu'à la longue, les médicaments à base de plantes peuvent se révéler tout aussi efficaces que les médicaments traditionnels, même s'ils sont moins puissants. Car on comprend pourquoi bien des gens sont forcés de cesser leur médication traditionnelle, leurs effets secondaires étant souvent plus graves que les symptômes de leur problème médical. Et c'est pourquoi les remèdes à base de plantes peuvent s'avérer très bénéfiques aux personnes souffrant du SII.

Les remèdes à base de plantes pour le SII peuvent être simples ou complexes selon les besoins. Les tisanes, offertes dans la plupart des magasins d'aliments naturels, peuvent s'avérer étonnamment efficaces. La *camomille* vous aide à vous détendre et sert d'antispasmodique doux. La *menthe poivrée* a des propriétés antispasmodiques et anti-inflammatoires, tout comme le *fenouil*. Les herboristes recommandent souvent de combiner les trois en une seule boisson pour aider à soulager les spasmes douloureux et à évacuer les excès de gaz.

Si vous consultez un herboriste, il pourrait vous recommander ces tisanes, mais il pourrait aussi vous prescrire la *valériane*, qui agit comme relaxant et antispasmodique pour tout le corps. Il vous recommandera toutefois de ne pas en prendre régulièrement, préférant que vous la réserviez pour les cas d'urgence, alors que votre niveau de stress et de souffrance est au plus haut.

De nombreux remèdes à base de plantes utilisés pour les cas de SII prennent leur source dans les remèdes traditionnels des Amérindiens. Par exemple, on se sert de l'*obier* (boule-de-neige) pour soulager les spasmes et chasser les crampes. C'est comme la valériane pour le système digestif. L'obier est aussi légèrement astringent, propriété que l'on croit efficace pour calmer l'inflammation des parois intestinales.

L'*hydraste du Canada* (voir figure 6) est un autre remède des Amérindiens. C'est un antispasmodique, mais on croit aussi qu'il agit comme tonique pour les membranes muqueuses qui protègent les parois intestinales, aidant à guérir toute partie endommagée. On dit aussi qu'il provoque la sécrétion de bile, qui aide la digestion.

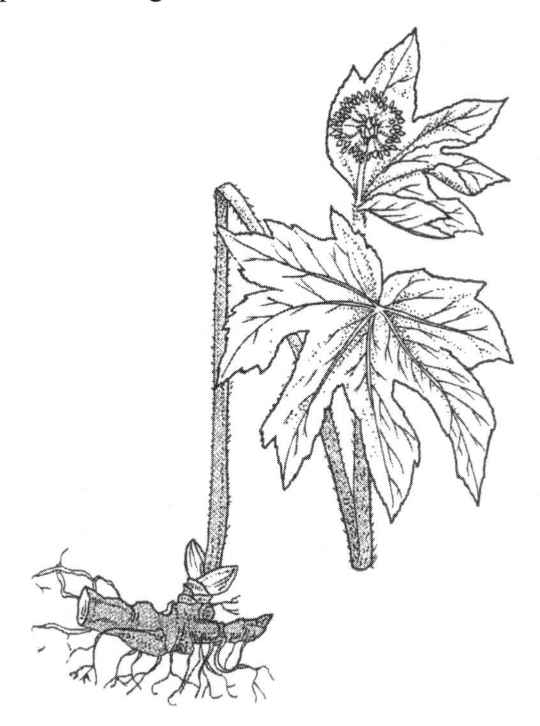

Figure 6 L'hydraste du Canada, un antispasmodique

L'*igname sauvage* est elle aussi un remède nord-américain. Elle a de puissantes propriétés anti-inflammatoires et peut vous être prescrite si vous souffrez de nombreux spasmes et que vous évacuez du mucus.

La *réglisse* est un autre anti-inflammatoire puissant qui a également des qualités laxatives. Les herboristes s'en servent à très petite dose. Il est intéressant de noter que la réglisse était officiellement classée comme médicament en Grande-Bretagne jusqu'à il y a à peine 150 ans. Connue sous le nom de « gâteau Pontefract », du nom de son principal centre de production, sa marque officielle en tant que médicament portait le sceau des trois châteaux. Celle-ci est toujours en usage, mais elle a perdu sa signification d'autrefois.

Les herboristes croient que, comme c'est le cas pour bien d'autres maladies, la chaleur peut soulager les symptômes du SII. On peut se servir de la *cannelle* pour réchauffer l'intestin en douceur, alors que le *gingembre* est indiqué pour obtenir un effet plus puissant. Les deux ont aussi un léger pouvoir antiseptique, aidant à soulager l'inflammation.

Si les choses vont très mal et que la panique s'installe, l'herboriste garde aussi un remède « d'urgence » en réserve. L'élixir floral d'urgence du docteur Bach est un mélange produit à partir de cinq fleurs différentes : hélianthème, clématite, impatiente, prunier Myrobolan et étoile de Bethléem. Stephen Church, un phytothérapeute anglais, dit de ce mélange : « Il est extraordinairement calmant dans le cas de sentiment aigu d'insécurité ou de problèmes émotionnels. Il est aussi très utile s'il vous advient un événement très stressant. J'en mets quelques gouttes sur ma langue lorsque je dois donner une conférence et ça vaut le coup. »

Médecine chinoise traditionnelle à base de plantes

Voici un bel exemple de phytothérapie traditionnelle. Les praticiens de la médecine chinoise, et cela inclut aussi les acupuncteurs, croient que notre santé dépend du flux d'une force vitale ou énergie, appelée *qi* (ou *chi*). Cette force circule entre les organes, le long de canaux connus sous le nom de méridiens. Il y a 12 méridiens et chacun est censé correspondre à une fonction ou à un organe majeur du corps.

Pour que nous demeurions en santé, le *qi* doit circuler suivant une force et une qualité adéquates. Par conséquent, un herboriste chinois utilisera des plantes pour corriger tout déséquilibre dans le flux de cette énergie.

Pour le SII, les herboristes chinois croient qu'il faut équilibrer la rate et le foie, déplacer le *qi*, chasser le froid et nourrir le sang. Il semble que des bâtons de cannelle avec des racines de pivoine blanche, de l'astragale et du gingembre frais donnent de bons résultats.

Acupuncture

L'acupuncture est le traitement naturel pour lequel les praticiens de la médecine traditionnelle semblent avoir le plus de respect. Un nombre croissant de médecins utilisent maintenant l'acupuncture parallèlement à leur pratique conventionnelle. Cependant, la plupart pratiquent une forme « occidentalisée » d'acupuncture qui ne suit pas la philosophie de la médecine chinoise traditionnelle.

Un grand nombre d'études scientifiques ont déjà démontré que l'acupuncture est une bonne thérapie pour beaucoup de maladies, et qu'elle est particulièrement efficace pour soulager les douleurs chroniques.

Comme nous l'avons vu dans la section concernant la phytothérapie, l'approche de la médecine chinoise traditionnelle diffère radicalement de celle de la médecine occidentale qui nous est familière. À la place des plantes, les acupuncteurs utilisent de très fines aiguilles — pas beaucoup plus grosses qu'un cheveu humain — pour corriger les déséquilibres dans le flux du *qi*. Les aiguilles sont introduites en des points précis le long des méridiens (voir figure 7) et, suivant la manipulation qu'on en fait — elles doivent être introduites doucement en tournant — l'énergie sera soit dissipée loin du méridien ou dirigée vers lui.

Beaucoup de personnes sont rebutées à l'idée qu'on leur introduise des aiguilles dans la peau. Mais ces aiguilles sont si fines qu'elles ne provoquent aucune douleur semblable à celle d'une injection. Il peut même arriver que vous ne vous rendiez pas compte qu'on vous introduit des aiguilles. Au moment où on introduit une aiguille, on a parfois une impression de « lourdeur ». En vérité, une fois qu'ils ont surmonté leur nervosité, bien des gens trouvent tout le processus tout à fait relaxant et agréable.

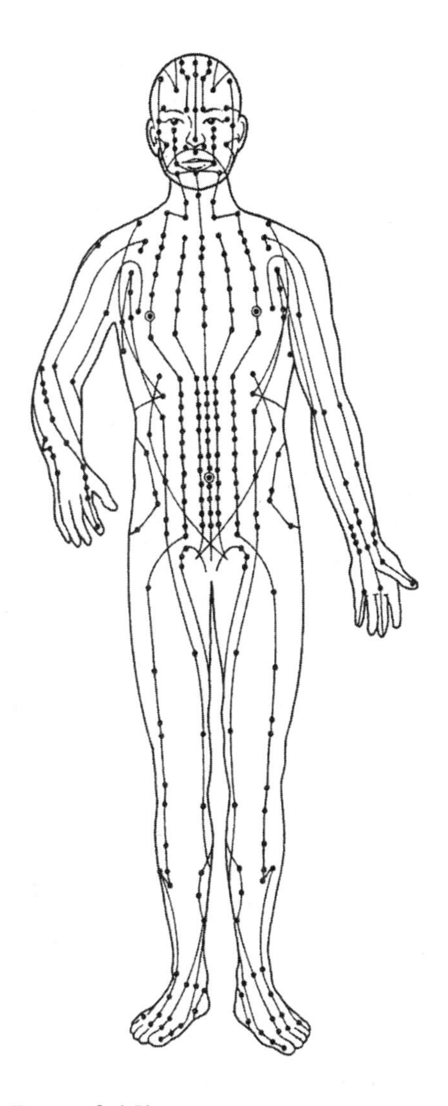

Figure 7 Les méridiens en acupuncture

Le système de diagnostic de la médecine chinoise est aussi très différent de notre système occidental. L'acupuncteur a besoin d'établir l'état de votre énergie, et pour y parvenir, il passera en revue toute l'histoire de votre santé générale. Il récoltera une foule de renseignements concernant votre santé en examinant votre langue, en notant la couleur et la qualité de votre peau, et en faisant une analyse spéciale de votre pouls.

Le praticien pourra ensuite décider si vous présentez un syndrome « chaud » ou « froid », et si cela est dû à une carence ou à un excès.

La cause peut être une carence du *yin* ou du *yang* — les forces qui équilibrent le corps —, ou du *qi*, ou même du sang. D'un autre côté, ce pourrait être le résultat d'une invasion bactérienne, d'un virus ou d'un champignon, ce qui est considéré comme un *excès*.

Dans la médecine chinoise traditionnelle, il n'y a pas de désignation précise du SII. Un ensemble de symptômes — incluant des douleurs abdominales, du sang ou du mucus dans les selles, de la diarrhée ou des selles liquides, possiblement de la fièvre accompagnée de soif, une langue jaune et pâteuse et un pouls léger et rapide — peut indiquer que le problème est une « chaleur humide dans le gros intestin ».

D'un autre côté, une sensation de trop-plein et de dilatation, de la diarrhée, une salive visqueuse, une langue blanche et pâteuse et un pouls léger peuvent indiquer que « la rate est envahie par une humidité froide ».

Une « chaleur humide dans la rate et l'estomac » peut se traduire par des selles molles, un trop-plein intestinal, une bouche pâteuse, une langue jaune et pâteuse et un pouls rapide.

L'acupuncteur stimule des points le long des méridiens pour rééquilibrer l'énergie et régler le problème.

Des points précis d'acupuncture sur la jambe, sous le genou, sont reliés à l'estomac. On dit que le fait de stimuler ces points renforce le sang et le *qi* et dissipe les mucosités, une cause majeure de chaleur humide.

On peut aussi se servir des points autour du nombril pour stimuler le fonctionnement de la rate et de l'estomac, réduire les douleurs abdominales et la diarrhée et améliorer les problèmes intestinaux en général.

Réflexologie

Voici un traitement naturel populaire, réputé pour aider dans les cas de SII, ainsi que d'autres problèmes d'intestins et de vessie.

Les réflexologues croient que les pieds sont une carte anatomique du corps. Si vous regardez le pied par en dessous, vous verrez qu'il a quelque chose qui rappelle le corps humain : large aux épaules, il devient plus étroit en descendant vers la taille et les hanches.

En réflexologie, des points précis du pied représentent certains organes et parties du corps. Par conséquent, un organe ou une structure corporelle sous tension, blessés ou malades, se refléteront dans la région correspondante du pied, connue sous le nom de *zone-réflexe*. En massant prudemment cette zone-réflexe, le praticien peut aider à relâcher les tensions et ainsi guérir la région blessée ou malade.

Pour évaluer votre état de santé général, le réflexologue examine votre pied : la structure de l'os, la couleur et la texture de la peau, le tonus musculaire. Il s'informera ensuite de la santé de chaque organe de votre corps en pressant doucement les zones-réflexes de ses doigts. Si l'organe est sain, vous sentirez seulement la pression, mais s'il y a un problème, vous ressentirez de la douleur ou des picotements.

Les gens qui ont fait l'expérience de la réflexologie disent qu'elle procure une sensation de bien-être et que la douleur ressentie est presque plaisante, tout comme un massage des muscles endoloris peut être à la fois douloureux et agréable.

Durant les premiers jours ou semaines d'un traitement en réflexologie, il arrive fréquemment que les gens souffrent de transpiration, de diarrhée et d'un besoin d'uriner plus fréquent. Il semble que ce soit dû à l'augmentation de l'activité du système d'élimination du corps et que, par conséquent, ces symptômes soient bon signe.

Il existe maintenant une version haute technologie de la réflexologie traditionnelle par imposition des mains. Ce système, nommé *Vacuflex*, combinerait en quelque sorte la réflexologie et l'acupuncture. Pour cette thérapie, vous enfilez une paire de bottes de feutre. Ces bottes sont reliées à une pompe à air qui crée un vide autour des deux pieds.

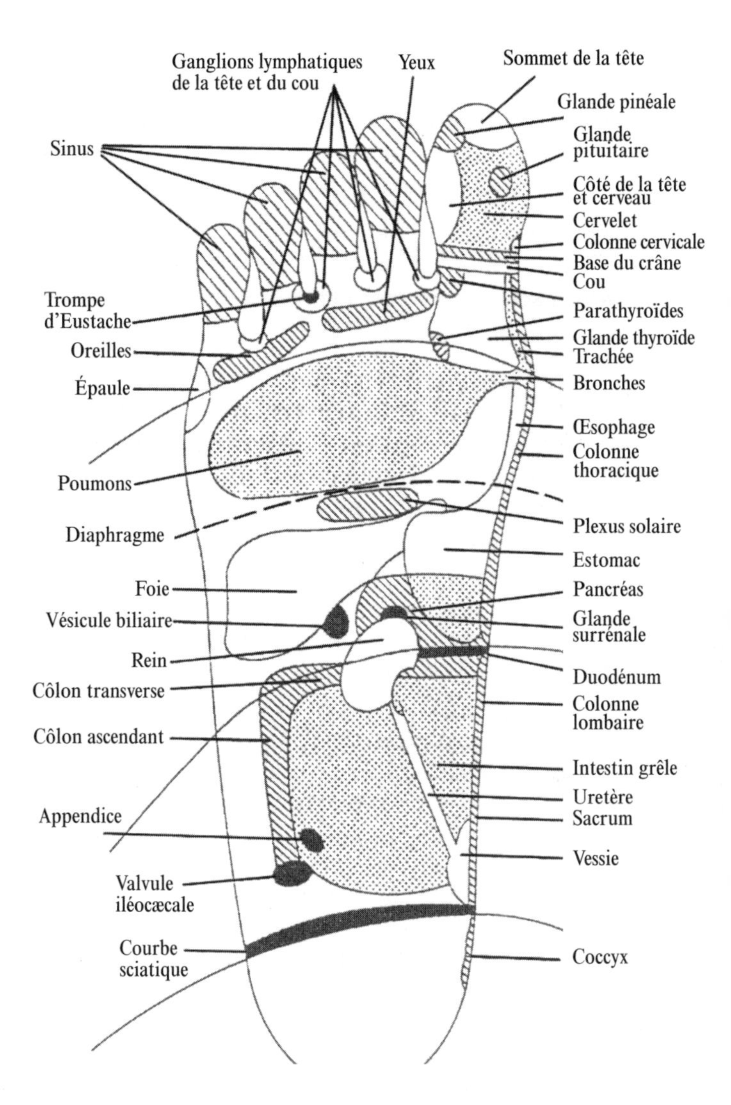

Figure 8 Les 2 zones-réflexes du pied

Les thérapeutes Vacuflex disent que ce système permet de masser soigneusement tout le pied, n'exige pas plus de cinq minutes pour les deux pieds, est plus confortable qu'un massage avec les mains, plus facile pour les enfants et les personnes âgées, et laisse des marques et des couleurs sur les pieds — identifiant les parties congestionnées et malades — pendant quelques secondes après avoir enlevé les bottes. Ces marques changent après chaque traitement, indiquant le progrès réalisé dans la guérison de la maladie.

La seconde phase du traitement consiste à stimuler divers points d'acupuncture en utilisant des coussinets ventouses à la place des aiguilles, une technique similaire à l'ancienne méthode orientale appelée « ventousage ».

Étude de cas

Ann, maman de trois jeunes enfants, souffrait du SII depuis 15 ans. Ses crises duraient souvent plus de trois semaines et lui causaient des douleurs intenses. Les antispasmodiques et antalgiques que lui prescrivait son médecin de famille avaient peu d'effet sur ses symptômes.

Elle dit : « Il y a onze mois, pendant la pire crise que j'aie jamais eue, j'ai décidé de prendre une série de traitements Vacuflex hebdomadaires.

« Cette crise particulièrement aiguë mit beaucoup moins de temps à s'apaiser que les précédentes, et depuis, les douleurs ont disparu. Je n'ai pas eu besoin de retourner voir mon médecin pour des médicaments, et dès les premiers signes avant-coureurs de la maladie, un traitement Vacuflex suffit pour éviter une crise.

« Je suis beaucoup moins tendue et je dors mieux ; de plus, un effet inattendu est que mes sinus, qui faisaient que je n'arrêtais pas de moucher chaque matin à mon réveil depuis aussi longtemps que je me souvienne, me rendant la vie impossible, sont complètement guéris. »

Massage

Le massage est une autre des plus anciennes et des plus simples formes de thérapies naturelles et il tient du principe que le toucher peut être bénéfique à la santé.

Il en existe plusieurs formes, allant du massage physique de base, qui vise à améliorer le tonus musculaire, à stimuler la circulation sanguine, à soulager les raideurs des articulations et à détendre les tissus noués, au massage de type « holistique », qui offre un traitement global de la personne, à la fois physique, mental et spirituel.

Le massage holistique est plus doux et plus satisfaisant que les versions plus traditionnelles. Il vise à vous aider à renouer avec votre corps, en vous enseignant à mieux l'écouter pour votre plus grand bien-être.

Aromathérapie

Bien des gens trouvent fort intéressante la combinaison du massage et de la phytothérapie. Les aromathérapeutes utilisent les *huiles essentielles,* provenant de la distillation des plantes, à des fins thérapeutiques.

Nous connaissons tous le puissant pouvoir évocateur de l'odorat, qui nous permet de nous remémorer des événements et des lieux de notre passé. D'un autre côté, certaines odeurs peuvent se révéler relaxantes et d'autres revigorantes. Les odeurs peuvent influencer nos humeurs, nous aider à nous détendre ou nous ragaillardir.

Les aromathérapeutes croient que les huiles essentielles ont pour leur part une valeur médicinale beaucoup plus importante encore. Ils affirment que certaines huiles ont des propriétés anti-inflammatoires, ou peuvent réduire le mucus, et que d'autres sont bonnes pour les intestins ou pour le sang.

Dans les faits, il y a de plus en plus de preuves scientifiques qui viennent soutenir ces affirmations, et il ne fait aucun doute que certaines huiles possèdent des propriétés antibactériennes.

La forme la plus populaire d'aromathérapie est celle incluant le massage avec des huiles essentielles, et la plupart des aromathérapeutes ont reçu une formation en massothérapie. Les huiles sont ainsi absorbées par la peau, pour procurer un massage de tout le corps à la fois relaxant et curatif.

Mais l'aromathérapie utilise les huiles essentielles de bien d'autres façons. Les huiles sont chauffées pour que leurs vapeurs remplissent la pièce, ou ajoutées à un bol d'eau chaude placé sur un radiateur, utilisées dans le bain et encore en inhalations.

Yoga

Le yoga est un ancien système indien d'exercices corporels et respiratoires visant la santé physique et l'harmonie entre la tête, le corps et les émotions. Il a été conçu pour améliorer le tonus musculaire, donner plus de souplesse, masser les organes internes et assurer une meilleure respiration et une meilleure circulation sanguine.

Il vise aussi à améliorer le flux d'énergie vitale — que les Indiens appellent *prana* — à travers le corps, c'est-à-dire à conserver l'équilibre et la santé corporels. Les personnes qui pratiquent le yoga sur une base régulière disent se sentir en meilleure forme, plus légères, moins anxieuses et avoir une plus grande confiance en elles.

Des études scientifiques confirment les bienfaits du yoga pour une grande variété de maladies, et il existe des exercices précis pour aider à améliorer les fonctions intestinales.

Mais le yoga est bien plus qu'une simple suite d'exercices quotidiens, aussi bénéfiques soient-ils. C'est une philosophie, pour les gens qui s'y adonnent, une manière de vivre.

La méditation et l'alimentation sont deux composantes très importantes du yoga. Les yogis (maîtres du yoga) croient qu'il faut manger uniquement des aliments qui donnent plus de vitalité et d'énergie et qui favorisent un esprit clair. Il faut éviter les aliments qui mènent à la dépression, à la léthargie ou à la dépendance — comme les produits transformés, le café et l'alcool — tout comme ceux qui stimulent, tels les aliments riches et épicés.

L'objectif du yoga est d'acquérir un style de vie calme et bien ordonné. L'environnement et les vêtements doivent être propres et simples, et tous les genres d'excès, d'abus et d'aberrations sont à éviter.

T'ai chi

Souvent décrit comme un art martial non violent, le *t'ai chi* est apparu en Chine il y a des milliers d'années. Il repose sur la philosophie taoïste du *yin* et du *yang*, les deux forces d'équilibre de l'univers. Les Chinois croient que la meilleure façon de vivre une vie saine et heureuse est de toucher à cet équilibre aussi peu que possible.

En respectant cette philosophie, les exercices de *t'ai chi* sont conçus pour former une suite toute naturelle, de sorte que chaque mouvement est engendré par celui qui le précède et ne requiert aucun effort isolé. Cette absence d'effort sert tout spécialement à empêcher toute perturbation dans l'équilibre naturel des forces de l'univers. Les exercices, qui doivent être enseignés, suivent un modèle précis, que l'on appelle la forme.

Ceux qui pratiquent le *t'ai chi* régulièrement — il se pratique seul ou en groupe — disent qu'il procure une sensation de paix et de bien-être, qu'il enseigne l'équilibre et l'aisance, qu'il renforce et améliore la capacité de concentration.

Irrigation du côlon

Également connu sous le nom d'hydrothérapie du côlon, il s'agit d'un genre de « lavage interne ». Il consiste à insérer dans le rectum un petit appareil avec deux tuyaux, le premier pompant l'eau à l'intérieur et l'autre lui permettant de s'écouler à l'extérieur.

Ses défenseurs disent que le procédé nettoie le côlon des poisons et des matières fécales accumulées et aide ainsi à restaurer un bon fonctionnement de l'intestin. Mais la méthode n'est pas sans risques et sans danger, et il est important que les praticiens aient les connaissances nécessaires et qu'ils soient qualifiés. Un très haut degré d'hygiène est absolument vital.

Quant à savoir si l'irrigation du côlon procure des bienfaits en cas de SII, les opinions varient. Mais la question, jusqu'ici, n'a certes jamais fait l'objet d'un procès de la part d'un malade du SII.

CHAPITRE 10

Comment trouver un thérapeute naturiste

Trucs et conseils pour trouver une aide fiable

Il n'est malheureusement pas aussi facile qu'on pourrait l'espérer de trouver le bon thérapeute. Bien que la médecine naturiste jouisse d'une popularité accrue et que chacun semble vouloir s'en prévaloir, la diversité et la concurrence entre les différents groupes ainsi que la multiplication des thérapies rendent la tâche difficile dans la plupart des pays où les traitements naturels gagnent en popularité.

Cette collection sur les traitements naturels vise expressément à vous aider à trouver la médecine douce qui convienne à votre cas, quoique la tâche la plus difficile demeure en quelque sorte de dénicher le bon praticien ou thérapeute.

La façon la plus sûre est presque toujours sur recommandation personnelle, et cela s'applique autant aux médecins qu'aux praticiens non médicaux. Allez voir quelqu'un qu'un ami ou une personne en qui vous avez confiance vous aura recommandé. Il n'y a pas meilleure manière de procéder. Mais si vous ne connaissez personne qui puisse vous recommander un thérapeute, que faire ?

Vous avez plusieurs choix :

- Allez à la clinique médicale de votre quartier ou dans un centre de santé, et demandez conseil. Cela peut prendre un certain courage et il est possible que l'on vous réponde sèchement, mais cela vaut la peine d'essayer, et vous pourriez être agréablement surpris : il pourrait arriver qu'on y connaisse la personne qu'il vous faut, soit quelqu'un qui travaille à la clinique, ou quelqu'un à qui on adresse des patients (ce qui signifie, dans les pays offrant une assurance-maladie, que le traitement pourrait être gratuit).
- Le centre de santé le plus près de chez vous pourrait être en mesure de vous aider, ou encore, un praticien en santé naturelle que vous connaissez et qui, s'il ne peut lui-même vous soigner, pourrait vous recommander quelqu'un. Ce n'est pas aussi sûr qu'une recommandation personnelle, mais les thérapeutes qui se spécialisent en médecine naturelle savent en général qui d'autre travaille dans la région, et plus important encore, qui est fiable. Vous trouverez les noms de centres et de praticiens privés dans les magasins d'aliments naturels, dans le bottin ou les journaux locaux, les magazines, les petites annonces, les centres d'information, et les bibliothèques. Si vous possédez un ordinateur avec un modem, vous trouverez des listes dans Internet. Mais un centre de santé naturelle de quartier où travaillent plusieurs praticiens dans des disciplines différentes est un choix particulièrement judicieux. Les meilleurs centres ont un système où les patients qui viennent

chercher de l'aide se voient offrir une consultation au cours de laquelle leur cas est analysé par une équipe de praticiens, et où on leur recommande un traitement (ou des traitements) et un thérapeute (ou plusieurs). Mais comme ce genre d'approche en est encore à ses balbutiements, cela peut être difficile à trouver.

- Si vous ne pouvez trouver une recommandation ou si aucun groupe de praticiens fiables n'est disponible, vous devrez songer à contacter une organisation-cadre en matière de traitement naturiste pour avoir sa ou ses listes d'organisations ou de praticiens. Vous trouverez des adresses utiles en annexe. Il se pourrait qu'on exige un montant pour ce genre de liste (surtout pour les frais de poste et d'emballage). On peut aussi exiger un paiement individuel non seulement pour chaque thérapie, mais aussi — parce que bien des pays n'ont pas encore d'organisation pour chaque thérapie — pour chacune des organisations liées à ces thérapies. Si vos moyens vous le permettent, demandez qu'on vous envoie le tout.

Vérifier les organisations professionnelles

Lorsque vous choisissez un thérapeute, il est prudent de vérifier ses antécédents professionnels. Cela est presque indispensable si vous prenez un nom dans l'annuaire ou dans une liste, plutôt que de suivre la recommandation d'un ami. Le seul fait qu'un thérapeute appartienne à une organisation ne signifie pas que son travail soit garanti. Certaines

10 façons de trouver un thérapeute

- Le bouche à oreille (habituellement la meilleure méthode)
- Le centre médical familial de votre localité
- Le centre de santé naturelle de votre localité
- Les magasins d'aliments naturels de votre quartier
- Les centres de traitement en santé et beauté
- Les groupes de support locaux en matière de santé
- Les organisations nationales de thérapie
- Internet
- Les bibliothèques publiques et les centres d'information
- Les bottins, journaux et magazines locaux

organisations ne mènent aucune enquête sur leurs membres et se contentent de recevoir le paiement de leurs frais annuels d'adhésion.

La première chose à faire, c'est de vérifier le statut des associations individuelles ou des organisations professionnelles dont vous avez les noms. Une bonne association publiera des renseignements clairs et simples dans la brochure présentant la liste de ses membres. Il semble toutefois que peu le fassent, alors vous devrez peut-être leur téléphoner ou leur écrire. Voici le genre de questions que vous devriez poser :

- Quand votre association a-t-elle été fondée ? (De nouveaux groupes voient le jour régulièrement, et il peut être utile de savoir si l'organisation est là depuis 50 ans ou si elle a ouvert ses portes hier.)
- Combien de membres compte l'association ? (Cela vous donnera une bonne idée de sa réputation auprès du public et de ses objectifs réels.)

- S'agit-il d'un organisme caritatif ou éducatif — avec une constitution en bonne et due forme, un conseil d'administration et un rapport annuel public — ou est-ce une compagnie privée ? (Les compagnies privées peuvent être secrètes et servir leurs propres intérêts d'abord.)
- L'association fait-elle partie d'un réseau plus important d'organisations professionnelles ? (Les groupes qui font bande à part sont plus suspects que ceux qui s'intègrent à un réseau.)
- Est-ce que l'association a un code de déontologie, un mécanisme d'enregistrement des plaintes et des procédures disciplinaires ? Si oui, quels sont-ils ?
- L'association est-elle liée à une école ou à un collège ? (Si oui, elle n'est peut-être pas libre d'évaluer ses membres ; la direction de l'association pouvant être la même que celle du collège.)
- Quels sont les critères d'admissibilité de ses membres ? (Si l'on exige qu'ils soient diplômés d'une école ou d'un collège, le même problème que ci-dessus se pose.)
- Les membres sont-ils couverts par une assurance dommages en cas d'accident ou d'erreur professionnelle ?

Vérifier la formation et les compétences

Vous devrez ensuite vous renseigner sur la formation et les compétences de votre thérapeute. Une liste bien faite décrira les exigences requises et donnera la signification des lettres qui suivent le nom des membres inscrits. Encore une fois, les listes bien faites sont rares. Il vous faudra donc téléphoner ou écrire pour de plus amples renseignements. Voici les questions à poser :

- Combien de temps dure la formation ?
- Se donne-t-elle à plein temps ou à temps partiel ?
- Est-ce qu'elle inclut un examen supervisé des patients ?
- Les diplômes sont-ils reconnus ?
- Si oui, par qui ?

L'opinion de l'Association médicale britannique

Dans son deuxième rapport sur la pratique des médecines naturelles en Grande-Bretagne, publié en juin 1993, l'Association médicale britannique recommande que toute personne — médecin ou patient — désireuse de trouver un bon thérapeute non traditionnel pose les questions suivantes :

- Le thérapeute est-il membre d'une organisation professionnelle ?
- Cette organisation professionnelle possède-t-elle :
  - une liste publique de ses membres ?
  - un code de déontologie ?
  - un mécanisme de dépôt des plaintes ?
  - une procédure disciplinaire avec sanctions ?
- Quelles sont les compétences du thérapeute ?
- Quelle formation a-t-il reçue pour devenir thérapeute ?
- Depuis combien de temps pratique-t-il ?
- Possède-t-il une assurance dommages en cas de faute professionnelle ?

Bien que l'AMB aimerait voir les thérapies naturelles sanctionnées par la loi, avec un seul corps professionnel chapeautant chacune d'elles, elle ne croit pas que toutes les thérapies aient besoin d'être réglementées : « L'adoption d'un code de déontologie, d'un cadre de formation et d'une inscription volontaire devrait suffire. »

Complementary Medicine : New Approches to Good Practice (Oxford University Press, 1993)

Faire un choix

Pour faire votre choix final, fiez-vous à la fois à votre bon sens et à votre intuition, et essayez un thérapeute. Mais n'hésitez pas, lors de la première consultation, à vérifier auprès de lui si les renseignements que vous avez obtenus correspondent bien à ce qu'il a à vous offrir ; n'hésitez pas non plus à annuler un rendez-vous (donnez un préavis de 24 heures si possible) et à partir si quelque chose vous déplaît dans la personne, le lieu ou le traitement. L'important, en tout temps, étant de poser des questions, autant qu'il le faut, et de vous servir de votre intuition. Et n'oubliez jamais : c'est votre corps et votre tête !

Comment se passe une consultation chez un thérapeute naturiste

En un mot, différemment. Mais aussi très naturellement. Comme la majorité des thérapeutes, même dans les pays qui offrent un système d'assurance-maladie, travaillent en privé la plupart du temps, il n'y a ni uniforme ni attitude commune. Bien qu'ils partagent — plus ou moins — la même croyance dans les principes énoncés au chapitre 7, vous rencontrerez des individus très différents les uns des autres par leur niveau et leur style de vie, allant du riche au pauvre, de la droite à la gauche politique, etc. Vous trouverez autant de styles, de façons de penser et de comportements qu'il existe de modes, allant de l'élégant au sportif, au carrément original (quoique pour des raisons d'image, plusieurs optent pour le sarrau blanc du médecin !).

Leurs lieux de pratique différeront aussi considérablement, reflétant leur attitude face au travail et au monde. Certains pratiquent dans une clinique ou un bureau bien organisé avec réceptionniste, alors que d'autres vous recevront dans leur salon, entourés d'objets familiers et de plantes. Rappelez-vous que si l'image dévoile le statut, elle n'est pas une garantie de compétence. Il y a autant de thérapeutes compétents qui travaillent chez eux que dans une clinique bien établie.

Il y a toutefois des caractéristiques, sans doute les plus importantes, qui sont propres à tous les thérapeutes naturistes :

- Ils vous consacreront beaucoup plus de temps que votre médecin de famille ne le fait habituellement. Une première consultation durera rarement moins d'une heure, parfois plus. Ils vous poseront beaucoup de questions sur vous-même afin de se faire une opinion sur comment vous fonctionnez et sur ce qui pourrait être la cause cachée de votre problème.
- Ils vous factureront des honoraires et vous devrez payer les remèdes qu'ils vous prescriront et qu'ils vendent souvent sur place. Mais plusieurs offrent des tarifs réduits et renoncent même à leurs honoraires, par simple conviction, ou dans le cas de gens qui n'ont pas les moyens de payer.

Précautions à prendre

- Même si la majorité des praticiens reçoivent des honoraires, une personne honnête n'exigera jamais d'être payée avant d'avoir donné un traitement, à moins que vous deviez subir des tests ou prendre des médicaments, mais ces cas demeurent exceptionnels. Si l'on exige un paiement à l'avance, demandez pourquoi et osez refuser si l'explication ne vous satisfait pas.

- Ne croyez pas quelqu'un qui vous garantit la guérison. Personne (pas même un médecin) ne peut donner ce genre de garantie.
- Méfiez-vous si le thérapeute veut vous faire abandonner les médicaments prescrits par votre médecin. Parlez-en à ce dernier d'abord. Les thérapeutes sans formation médicale en savent peu sur la médication traditionnelle, et il pourrait être dangereux d'interrompre la vôtre soudainement.
- Si vous êtes une femme, sentez-vous à l'aise de vous faire accompagner si vous devez vous dévêtir. Aucun thérapeute honnête ne refusera que quelqu'un vous accompagne, et s'il advenait qu'il refuse, trouvez-en un autre.

Que faire si les choses tournent mal

Vous devez vous demander si votre thérapeute a fait tout ce qui était en son pouvoir pour améliorer votre état de santé, sans vous blesser ou vous faire du tort de quelque manière que ce soit. Il n'a pas commis de faute simplement parce qu'il n'a pas réussi à vous guérir (il est probablement aussi déçu que vous par cet échec). Par contre, le manque de soins adéquats et le manque de respect sont des fautes professionnelles.

Si cela devait vous arriver et si vous considérez que c'est le résultat d'un comportement immoral ou de l'incompétence, voici ce qu'il faut faire :

- Si vous croyez que votre thérapeute a fait de son mieux pour vous aider mais qu'il n'était tout simplement pas à la hauteur, il serait utile, pour la sécurité de ses futurs patients comme pour son propre bien, d'aborder le sujet avec lui. Il n'est peut-être pas conscient de ses limites et il se pourrait qu'il vous soit reconnaissant pour cette critique honnête et constructive, il pourrait même chercher à réparer et à vous aider d'une autre façon. Mais la situation est peut-être assez sérieuse pour que vous vouliez y mettre un terme et exiger réparation. Si vous décidez d'agir dans ce sens, voici les démarches que vous pouvez entreprendre :
- Dénoncez le thérapeute à son association ou à son ordre professionnel, s'ils existent. Mais ne vous attendez pas à ce que cette démarche produise de grands changements. Comme la médecine non conventionnelle n'appartient pas à une culture bien établie, et parfois même appartient à une sous-culture contestataire — on l'a baptisée « médecine traditionnelle de la masse » —, elle existe encore dans bien des pays dans une sorte de monde isolé et sans règles, dans lequel tout est possible et où les contrôles officiels se font rares. Bien sûr, cela peut avoir ses avantages : les meilleurs praticiens, comme les plus originaux, peuvent toucher à tout et changer d'orientation à volonté, ce qu'ils ne pourraient jamais faire s'ils étaient contraints de respecter des règles comme c'est le cas des médecins. En revanche, les recours sont quasi impossibles si vous jugez que le

thérapeute a mal agi. Et même s'il appartient à une organisation professionnelle — en Grande-Bretagne comme dans bien d'autres pays, aucun praticien non formé médicalement n'est obligé d'appartenir à une association —, celle-ci n'a aucun pouvoir sur un membre qui enfreint les règles. Par exemple, en Grande-Bretagne, un membre que son organisation a exclu peut continuer à travailler légalement, en autant qu'il ne contrevienne aucunement au code civil ou criminel.)

- Racontez votre expérience à tout un chacun, surtout à la personne qui vous a recommandé ce spécialiste, après avoir dit au thérapeute que vous alliez le faire (mais dites toujours la vérité — les mensonges délibérés pouvant porter atteinte à la réputation et au gagne-pain —, si vous ne voulez pas être accusé de diffamation). Les praticiens à qui l'on fait une mauvaise réputation perdent vite leur clientèle — et ils l'ont mérité —, aussi la plupart se comportent-ils de façon tout à fait professionnelle. En fin de compte, c'est votre unique garantie.
- Dans le pire des cas, qui peut toujours se produire, quoique rarement, vous pouvez avoir recours au code civil ou criminel ; vous pouvez intenter une poursuite ou porter plainte pour assaut, soit en allant directement à la police ou en prenant un avocat. Le protecteur du citoyen et les bureaux des droits des citoyens peuvent également vous conseiller.

Résumé

Dans la réalité, bien que les occasions existent et que nous en ayons parfois la preuve dans les journaux à sensation, il y a peu de vrais escrocs ou de charlatans qui pratiquent les thérapies naturelles. Malgré la croyance populaire, il y a peu d'argent en cause, à moins que le praticien ne soit très en demande, et si c'est le cas, il y a de bonnes chances que ce soit parce qu'il est bon. En fait, vous avez autant de chances de trouver un mauvais praticien en médecine traditionnelle que parmi ceux qui pratiquent tranquillement en privé sans aucune formation reconnue. Personne ne peut tout savoir, et personne n'est spécialiste de tout, pas même les médecins ; et on n'exige de personne l'obtention d'une note parfaite à ses examens pour avoir son diplôme et pour pratiquer. La perfection est un idéal, pas une réalité, et l'erreur est humaine.

C'est la raison pour laquelle la leçon la plus importante de ce livre est que chacun doit voir à sa propre santé. Cela signifie être responsable des choix que vous faites, et c'est l'un des facteurs les plus importants dans la réussite d'un traitement.

Personne d'autre que vous ne peut décider qui consulter, et c'est vous qui savez si vous vous sentez bien ou non avec un thérapeute. Si vous n'êtes pas satisfait, la décision vous revient de rester ou d'aller voir ailleurs, et de continuer de chercher jusqu'à ce que vous ayez trouvé le thérapeute et le traitement qui vous conviennent. Mais rappelez-vous toujours ceci : ceux et celles qui ont emprunté ce chemin avant vous n'ont pas seulement trouvé une aide qui a dépassé leurs rêves les plus optimistes ; ces personnes ont trouvé un praticien de confiance pour les aider et les assister lorsqu'elles — et les membres de leur famille — avaient à surmonter d'autres maladies et problèmes. Plusieurs ont même trouvé un ami pour la vie.

Index

Acupuncture 112-116
Air que l'on avale 44
Alcool *56-58*
Alimentation 80
Antidépresseurs 74
Aromathérapie 121
Art-thérapie 101
Aspirine 107, 109

Biofeedback 95, 96

Caféine 42, 49, 56
Camomille 110
Candida 43-44, 57
Cannelle 112, 113
Choisir un thérapeute 127
Church Stephen 112
Côlon spasmodique 14
Constipation 14, 25, 39-40, 64, 71-72, 94, 99, 105
Counseling 99-101
Cumming, W. 31

Diarrhée 14, 25, 38, 42, 73, 116-118

Élixir floral d'urgence du docteur Bach 112
Enzymes 42
Exercice physique 64-65

Fenouil 110
Fibres 39-40, 52-54, 70-74
Fisher, Peter 82

Gastroentérite 45
Gingembre 112-113

Hahnemann, Samuel 103, 105
Homéopathie 103-105
Horner, Simon 54
Huiles essentielles 121-122

Hunter, John 42, 49, 69, 78
Hydraste du Canada 111
Hyperventilation 45, 62
Hypnothérapie 88, 92-93

Igname sauvage 112
Intolérance alimentaire 40-42
Irrigation du côlon 124
Ispaghula 39

Laxatifs 73

Massage 121-122
Médecine ayurvédique 48
Médecine traditionnelle chinoise à base de plantes 89, 144
Méditation 96-98
Menthe poivrée 74, 110
Mycose 43

Obier 110
Organisations professionnelles 129

Pasteur, Louis 83
Phytothérapie 107, 113
Prana 85, 123
Psychothérapie (*voir* counseling)

Qi 85, 113-117

Réflexologie 86, 117-118
Régimes d'exclusion 79
Réglisse 112
Relaxation 59-60
Respiration 61, 62, 97, 98, 122
Rougeurs 73

SII, causes du 31
SII, symptômes du 14
SII, tests pour le 29
Son 40, 71
Son de blé 40, 53-54, 71
Stress 34, 45, 56, 94,96,100
Suppléments de fibres 71
Système digestif 21, 24-25

T'ai chi 88, 123-124
Tabagisme 58
Thérapie autogène 98-99
Thérapie Gestalt 100
Thérapie par le rire 100
Thérapie rogérienne 100
Thérapies naturelles 84, 87-88
Traitements médicamenteux 75
Traitements physiques 103
Traitements psychologiques 91

Vacuflex 118, 120
Valériane 110
Visualisation créatrice 89, 99

Whorwell, Peter 27, 33, 37

Yoga 66, 122-123